GENERAL VILLAS BÔAS

Celso Castro (Org.)

GENERAL VILLAS BÔAS

conversa com o comandante

Copyright © 2021 Eduardo Villas Bôas

Direitos desta edição reservados a
FGV EDITORA
Rua Jornalista Orlando Dantas, 9
22231-010 | Rio de Janeiro, RJ | Brasil
Tels.: 0800-021-7777 | 21-3799-4427
Fax: 21-3799-4430
editora@fgv.br | pedidoseditora@fgv.br
www.fgv.br/editora

Impresso no Brasil | *Printed in Brazil*

Todos os direitos reservados. A reprodução não autorizada desta publicação, no todo ou em parte, constitui violação do copyright (Lei nº 9.610/98).

Os conceitos emitidos neste livro são de inteira responsabilidade dos autores.

1ª edição – 2021; 1ª reimpressão – 2021.

Preparação de originais: Sandra Frank
Projeto gráfico de miolo e diagramação: Mari Taboada
Revisão: Michele Mitie Sudoh
Capa: Estúdio 513
Fotos: acervo pessoal general Eduardo Villas Bôas
Foto da capa: Paulo Pereira

Dados internacionais de Catalogação na Publicação
Ficha catalográfica elaborada pelo Sistema de Bibliotecas/FGV

General Villas Bôas : conversa com o comandante / Celso Castro (Org.). – Rio de Janeiro : FGV Editora, 2021.
244 p. : il.

   ISBN: 978-65-5652-030-8

   1. Villas Bôas, Eduardo, 1951-. 2. Villas Bôas, Eduardo 1951- – Entrevistas. 3. Militares – Brasil – Biografia. I. Castro, Celso, 1963-   . II. Fundação Getulio Vargas.

CDD - 923.581

Elaborada por Amanda Maria Medeiros López Ares – CRB-7/1652

Dedicatória

À Cida, mulher de ferro. Não sei de onde tira forças para se dividir entre os cuidados para comigo, acompanhando-me durante algumas internações, supervisionando a construção de nossa residência e sendo dona de casa, mantendo a família cada vez mais unida.

Aos filhos Tici, Mano e Drica, meus maiores orgulhos, pessoas especiais, como as famílias que construíram. Vieram ao mundo para fazê-lo melhor.

Aos netos Gustavo, Guilherme, Henrique, Izabela, Ana Clara e aos que estão por vir. Que cresçam saudáveis, sadios e felizes. Ao longo da vida, receberão incontáveis conselhos sobre como proceder. Tenham em mente que a única obrigação de vocês será retribuir a mais o que de bom receberam das pessoas.

Aos meus irmãos e suas famílias, pelo carinho que sempre proporcionaram ao "tio Nano".

Aos meus amigos, que, depois de minha família, são o maior tesouro que a vida me deu.

Homenagem especial *post-mortem*

Ao "Guerreirão de Selva", coronel Gilmar, que me acompanhou desde a Amazônia. Um acidente nos privou de sua companhia, deixando em nossa equipe uma enorme lacuna.

Agradecimentos

Ao tenente Tabaczeniski, que durante semanas passou dias e noites, sábados e domingos, sentado ao meu lado, pacientemente transcrevendo o que eu registrava por meio do sensor ótico. Entremeava o trabalho braçal com sugestões oportunas sobre o texto, sugerindo modificações e correções sempre pertinentes. Trata-se de pessoa mais que especial. Traz consigo uma riqueza interior emoldurada pela simplicidade e modéstia. Além da inesgotável paciência e fina educação, tomou incessantes cuidados para com minha família, tornando-se benquisto por todos.

Ao meu ajudante de ordens capitão Colombo, que com sua família tornou-se integrante de nosso ambiente familiar.

Ao tenente Crivelatti, a quem eu próprio como comandante, e o Exército como um todo, muito devemos pelo desempenho como o primeiro adjunto de Comando do Exército.

Aos meus revisores, general Sergio Etchegoyen e Lara Villas Bôas.

Aos que têm se dedicado a me manter com saúde e produtivo. Por coincidência ou não, são pessoas especialíssimas, que têm como característica o dom de servir e o de gostar de gente. Faziam de cada dia uma festa. Sempre desperto animado por saber que vou reencontrá-los. Aí se incluem a equipe de São Paulo, sob cujos cuidados estive na fase inicial da ELA, doutores Acary, Antonio Carlos e família, dr. Beny, o psiquiatra Maj Saraiva, o psicólogo dr. Angelo, a fisioterapeuta respiratória Celiana, a fonoaudióloga dra. Ana Lucia Chiapetta e os fisioterapeutas motores Adriana Nardi e André. Em Brasília, já na segunda fase da doença, a dra. Virgínia, dra. Aída, e os fisioterapeutas e fonoaudiólogas, tenente Rubem, tenente Karina, tenente Silvânia, tenente Ana Garay, Bruninha, tenente Caroline, tenente Andréa; meus cuidadores sargento Firmino, cabo Arruda, soldado Borja, soldado motorista Ferreira e os incansáveis srs. Abadiu e Jairo, ambos do *home care*.

Ao meu comandante general Leal Pujol, pela preocupação de que não me faltassem cuidados e ao general Brandão, a quem atribuiu essa função.

Ao general Heleno e à equipe do GSI pelo carinho com que me receberam.

Aos srs. Robson Andrade, Glauco e Sérgio Moreira, da Confederação Nacional da Indústria (CNI), pelo estímulo para a criação do Instituto General Villas Bôas.

Aos meus assessores e auxiliares diretos desde o comando, general Castro, general Allão, general Nigri, coronel Guedes, coronel Silva Neto. Ao meu auxiliar de comando, capitão Marsico, à equipe do GSI [Gabinete de Segurança Institucional], da segurança, e àquelas que provaram o quão oportuna foi a admissão de mulheres no Exército: tenente-coronel Andréa, tenente-coronel Rosana e major Paula Pacheco.

Sumário

Prefácio   13

Apresentação, *Celso Castro*   15

1. **A infância e a vocação para a carreira militar**   19
   Aquilo foi uma coisa natural.

2. **Na Aman**   31
   Disse para mim mesmo: "O meu chão é aqui".

3. **O anticomunismo**   47
   Tive uma influência de casa: meu pai.

4. **Começando uma nova família militar**   55
   A Cida foi sempre a esposa de militar perfeita.

5. **Aprendendo a comandar**   67
   Hoje, comandar só com base na autoridade, você não comanda.

6. **Na Nova República**   83
   O governo Sarney foi um período muito conturbado.

7. **Na China**   97
   Foram dois anos fantásticos, de muita aprendizagem.

8. **Comandando um batalhão na Amazônia**   103
   Até hoje, não temos uma política para conduzir as questões da Amazônia.

9. **O processo de transformação do Exército**   133
   Nos demos conta de que tínhamos planejado um Exército de II Guerra Mundial.

10. Anistia, Comissão da Verdade e memória histórica   155
   Era revanchismo, sem dúvida, pela maneira como foi conduzido.

11. Governo Dilma   167
   Ela nos pegou de surpresa, despertando um sentimento de traição em relação ao governo. Foi uma facada nas costas.

12. O tuíte do comandante   183
   Eu sabia que estava me aproximando do limite do aceitável.

13. Governo Temer e a intervenção federal no Rio de Janeiro   203
   Havia uma percepção de que poderia fugir ao controle e o Rio de Janeiro se transformar em caos.

14. As eleições de 2018   213
   Tínhamos a preocupação de que a política voltasse a entrar nos quartéis.

15. Governo Bolsonaro   221
   Eu sempre refutei a interpretação de que o Bolsonaro representava a volta dos militares ao poder.

16. ELA, a doença   229
   Quando Deus quer ter uma conversa particular com a gente, Ele te dá uma doença dessas como forma de você se aproximar d'Ele e ver as coisas com outros olhos.

Siglas   237
Índice onomástico   239

Prefácio

Como os leitores notarão, o livro contém um verdadeiro caleidoscópio de assuntos. Além do que me instigou o professor Celso Castro, procurei registrar tudo o que me veio à mente, pois é provável que não possa fazê-lo novamente.

Temo que, para alguns públicos, determinados assuntos parecerão áridos, tanto por conterem temas específicos como em razão do jargão militar utilizado – os militares adoram uma sigla.

Estou, agora, pagando pela negligência de, ao longo da vida, e em especial no comando, não ter registrado os fatos à medida que se desenrolavam. Como consequência, temo que a alguns deles falte precisão histórica.

Espero, sinceramente, não ferir as suscetibilidades das pessoas.

Meu maior receio, contudo, é que o livro adquira a conotação de culto à personalidade. Meu único mérito foi o de seguir o conselho do general Allão, meu antigo assistente: "Procure cercar-se sempre de pessoas melhores que você."

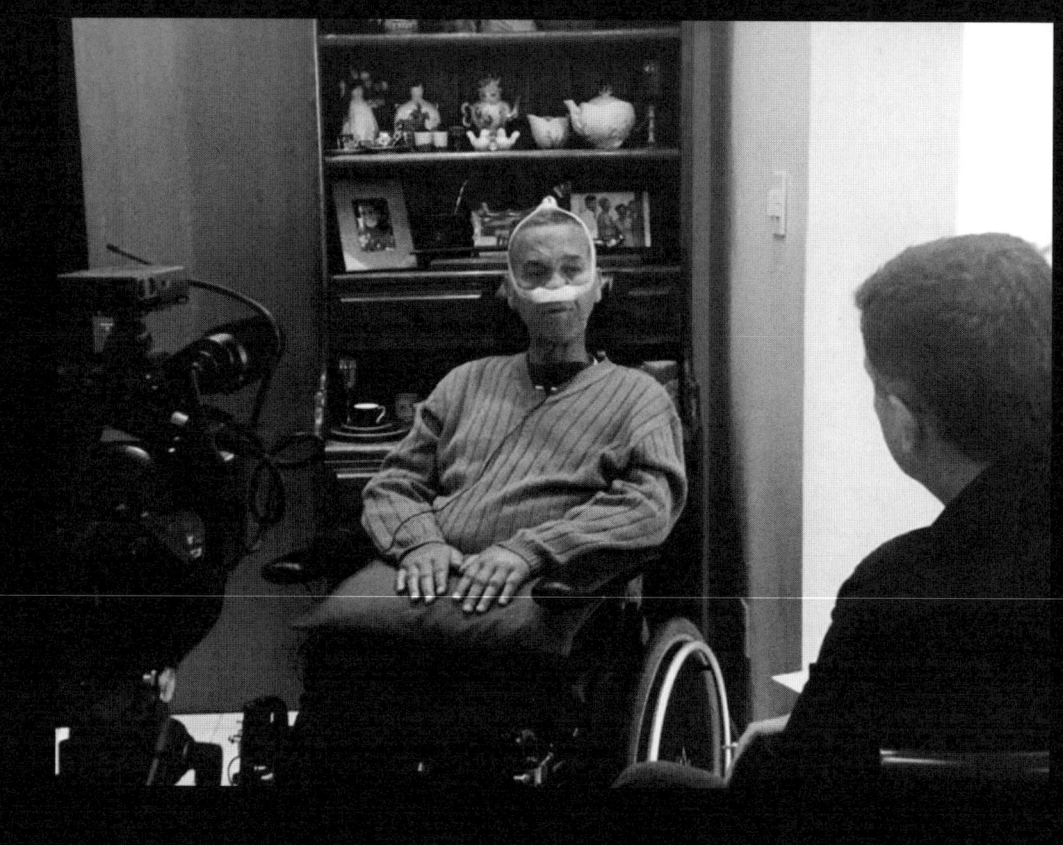

Apresentação

CELSO CASTRO

Este livro é resultado da edição e posterior revisão de aproximadamente 13 horas de entrevistas que realizei com o general Villas Bôas, ao longo de cinco dias: 7, 8, 9 e 12 de agosto, e 4 de setembro de 2019. As entrevistas foram feitas em sua residência, em Brasília.

Antes de sua realização, já conhecia o general, porém havia me encontrado rapidamente com ele em apenas três ocasiões, por motivos diversos. Nunca havíamos conversado a sós, nem sobre a possibilidade de uma entrevista. A notícia de que ele estava disposto a me conceder uma entrevista me foi transmitida pelo presidente da FGV, Carlos Ivan Simonsen Leal, cerca de uma semana antes de realizarmos a primeira sessão. Embora o general conhecesse alguns de meus livros e soubesse de minha longa experiência de pesquisa sobre a instituição militar no Brasil, a ideia da entrevista e a concordância em fazê-la seguiram uma via institucional. A entrevista, desde o início, foi vista como uma iniciativa da FGV para registrar suas memórias, a exemplo de tantas outras já feitas pelo seu CPDOC (Centro de Pesquisa e Documentação de História Contemporânea do Brasil), no qual trabalho há mais de três décadas.

Um aspecto importante a ser destacado refere-se às condições em que a entrevista foi realizada. Como é público, o general sofre de esclerose lateral amiotrófica (ELA), grave doença degenerativa, ainda sem cura e de causa desconhecida, que afeta o sistema nervoso, levando a uma paralisia motora progressiva e irreversível. Quando a entrevista foi realizada, a doença já lhe havia tirado a capacidade de movimentar-se. Além disso, ele necessitava de um equipamento de respiração permanentemente ligado, o que dificultava sua fala. Por esse motivo, ocasionalmente tínhamos de fazer breves interrupções durante as sessões, e os dias, horários e duração das entrevistas tiveram de se ajustar à agenda de cuidados médicos do general.

Apesar dessa severa limitação física, o general estava com sua capacidade intelectual totalmente preservada e muito disposto a falar sobre sua vida. A dedicação que deu à entrevista, apesar das limitações físicas, foi impressionante. Um dos desdobramentos futuros da doença seria justamente a perda da capacidade de falar. Isso explica a urgência da entrevista: o curtíssimo tempo que tive entre a notícia de que ele gostaria de dar seu depoimento, o preparo do roteiro, as gravações, a transcrição e a edição em livro.[1]

A entrevista seguiu o modelo de uma história de vida, indo desde as origens familiares até o presente. Havia um interesse óbvio de falarmos sobre o período de quase quatro anos em que o general Villas Bôas foi comandante do Exército Brasileiro (5 de fevereiro de 2015 a 11 de janeiro de 2019), marcado por eventos decisivos e definidores da atual conjuntura política, como o segundo governo de Dilma Rousseff, seu *impeachment*, a assunção de Michel Temer à presidência, a prisão do ex-presidente Lula, as eleições de 2018, a eleição e o início de governo de Jair Bolsonaro. Decidi, contudo, não deixar de lado a narrativa de meu entrevistado a respeito de seus anos de formação, das experiências que teve ao longo da carreira militar e de suas ideias

---

1. Para que todo esse processo fosse possível, contei com a ajuda de algumas pessoas às quais preciso agradecer: a Ninna de Araújo Carneiro Lima, que fez as gravações em vídeo; a Verônica Azzi, que me auxiliou na pesquisa para o roteiro e para as notas de rodapé; ao professor Irapoan Cavalcanti, da FGV, ao general Brandão e ao coronel Gilmar, do GSI, que cuidaram de contatos e detalhes logísticos; e à dona Cida e Adriana Villas Bôas, que me receberam em sua casa com atenção e carinho.

sobre o Exército e o país em geral, pois creio que são importantes para a compreensão mais densa de sua trajetória de vida e de suas ações.

Diante das limitações já mencionadas, e de opções que tive de assumir durante o processo de entrevista, algumas passagens de sua vida foram tratadas de maneira mais rápida do que mereceriam. Ao final, contudo, ficamos com a sensação de que cobrimos de forma razoável os principais temas e conversamos sobre o que de mais relevante o general quis registrar como suas memórias.

Desde o início já se pensava em transformar a entrevista em livro. Por esse motivo, a gravação foi transcrita e, em seguida, editada por mim em formato de livro. Na edição, procurei preservar a oralidade do texto, fruto de uma longa conversa. Busquei apenas tornar a leitura mais fluente, basicamente com a supressão de alguns vícios de linguagem e a junção de trechos que desenvolvessem, separadamente, as mesmas ideias. A ordem e o conteúdo das entrevistas, todavia, foram preservadas no que tinham de essencial, mantendo fidelidade ao que o entrevistado quis dizer.

A versão por mim editada da entrevista foi enviada ao general Villas Bôas no final de setembro de 2019. Ele havia pedido para revê-la antes que déssemos continuidade ao processo editorial. Recebi de volta a versão revista no dia 5 de maio de 2020. Nesse intervalo de sete meses, encontrei-me com o general apenas uma vez, brevemente, no lançamento do Instituto Villas Bôas, em Brasília, dia 4 de dezembro de 2019. Ele já havia perdido a capacidade de falar, porém seus familiares e amigos mais próximos disseram que ele estava se dedicando com prioridade total à revisão do livro. De fato, observando a versão revista, e tendo em conta que todo o trabalho teve de ser feito por meio de tecnologias assistivas, às quais ele teve de se adaptar rapidamente, é possível constatar quão grande foi essa dedicação.

Como resultado, o texto cresceu cerca de 30% em tamanho. O general incluiu a menção a vários casos e personagens de sua vida, principalmente na primeira metade do livro. Foram mantidas minhas perguntas, a estrutura de capítulos que eu havia montado e as notas explicativas, porém a revisão diminuiu a dose de oralidade característica das entrevistas, tornando o texto em geral mais formal.

O livro, em sua versão final, deve ser visto, portanto, menos como uma transcrição literal da entrevista do que como um texto desenvolvido a partir dela. Contudo, o essencial de seu depoimento original foi preservado, acrescido da menção a alguns eventos e personagens, além de ter passado por alterações que buscaram, muitas vezes, desenvolver ideias que estavam apenas esboçadas.

O mais importante é que temos, afinal, o que o general Villas Bôas quis deixar registrado como suas memórias a respeito de sua trajetória de vida, de suas ideias sobre a realidade nacional e de como vivenciou eventos políticos decisivos. Espero que o livro, enquanto uma fonte documental inédita, contribua para uma melhor compreensão sobre a história recente do Brasil, na visão do comandante de uma de suas instituições mais importantes.

7 de maio de 2020.

1
A infância e a vocação para a carreira militar

Aquilo foi uma coisa natural.

General, em primeiro lugar, queria agradecer, em nome da FGV, sua disponibilidade em nos dar esta entrevista sobre a sua trajetória.

Muito obrigado da minha parte a você, que tem sido um estudioso da vida militar e do Exército, extensivo à FGV e ao professor Carlos Ivan, porque têm sido parceiros solícitos, que nos prestaram uma ajuda inestimável quando, no ano de 2008/2009, começamos o processo de transformação do Exército. O professor Carlos Ivan e o professor João Paulo entenderam perfeitamente o que necessitávamos. Auxiliaram-nos na elaboração do diagnóstico e, também, na concepção dos projetos essenciais. A FGV acumula um admirável cabedal de serviços prestados ao país e ao Exército. Sou muito agradecido à Fundação, adicionalmente, pelo interesse em gravar este depoimento, tarefa da qual espero estar à altura.

Eu gostaria de começar falando das suas origens familiares. O senhor nasceu em Cruz Alta, Rio Grande do Sul.

Descendo de dois ramos, ambos com origem em Portugal. Os Villas Bôas são relativamente numerosos naquele país. Migraram para o Brasil ao longo de todo o processo de colonização. Estão concentrados no Nordeste, Sergipe e Bahia, Minas, Rio, São Paulo e também no Rio Grande do Sul. Tentei, sem muita profundidade, encontrar laços familiares com alguns personagens, como, por exemplo, os irmãos Villas-Bôas,[2] e não tive êxito. Meu avô, natural de Aracaju, ainda rapazinho, no início do século passado, fez concurso para os Correios e Telégrafos e foi transfe-

---

2. Referência aos irmãos Orlando (1914-2002), Cláudio (1916-1998) e Leonardo Villas-Bôas (1918-1961), importantes indigenistas brasileiros.

rido para o interior de São Paulo, inicialmente em Franca, radicando-se, posteriormente, em Campinas.

Meu pai era o mais novo de dez filhos. Tal quantidade de tios naturalmente gerou numerosos primos. Militares, na família, havia um irmão e alguns primos distantes. Um deles chegou a general. Talvez daí tenha surgido a inspiração no sentido de prestar concurso para a Escola Preparatória de Cadetes em São Paulo, no prédio onde hoje é o Hospital Sírio-Libanês. De lá foi para a Aman, recém-inaugurada, integrando a turma de 1946.[3] Graduou-se aspirante a oficial de artilharia e foi classificado em Cruz Alta (RS), no então 6º RO [Regimento de Obuses], hoje 29º GAC AP [Grupo de Artilharia de Campanha Autopropulsado].

Outro ramo do qual descendo, pelo lado da minha mãe, são os Dias da Costa. Creio que o bisavô da minha mãe imigrou para o Brasil no final do século retrasado, radicando-se na região de Pelotas e Bagé, onde se casou. Seu filho, meu bisavô, começou a vida como mascate, comprando e vendendo charque, depois as próprias charqueadas e, por fim, grandes extensões de terra em Santa Maria, Júlio de Castilhos e Cruz Alta. Deve ter sido uma pessoa especial, porque conquistou esse patrimônio antes dos 50 anos, quando morreu num acidente com arma de fogo. Era um empreendedor corajoso, pois criou um banco e fundou uma siderúrgica. O vultoso patrimônio foi sendo dilapidado pelas gerações sucessivas.

Uma dessas fazendas, herdada por meu avô, Antônio Dias da Costa, foi onde vivi até os 14 anos, enquanto meu pai servia em Cruz Alta. Meus avós, Antônio e Edith, pareciam personagens de história em quadrinhos. Ele, bonachão, extremamente paciente, sempre de bombacha e paletó, fumando um palheiro. Quando embrabecia comigo,

---

3. O curso de formação de oficiais do Exército funcionou, até 1944, no bairro do Realengo, subúrbio da cidade do Rio de Janeiro, sendo então transferido para a cidade de Resende (RJ), onde está até hoje, atualmente com o nome de Academia Militar das Agulhas Negras (Aman).

o máximo que fazia era me chamar de "seu borra-botas". Ela, pura alegria, era mais brincalhona e arteira do que nós. Havia ainda na fazenda uma avó e uma mãe pretas. Impossível existir maior bondade no mundo. Para um guri, junto com meu irmão Hugo, a Fazenda Santo Antônio, ou Fazenda da Árvore, referência a uma enorme figueira brava que de muito longe se via, era um paraíso.

Da fazenda, trago uma marca viva: uma cicatriz no peito do pé esquerdo. Sergio Etchegoyen e eu brincávamos de cravar uma faca no tronco da figueira, até que, batendo com o cabo na árvore, ela voltou e caiu espetada no meu pé. Era uma velha faca três listras que herdei de meu avô e guardo comigo. O lado nefasto desse episódio vem do escarcéu que fiz, achando que iria morrer, pois alguém havia me dito que se uma veia fosse furada o óbito seria imediato. Quero deixar bem claro que eu tinha uns seis anos. Mesmo assim, Sergio chantageou-me até chegarmos ao Alto-Comando do Exército. Ao longo desse tempo, eu o mantive calado, pois também guardo um arsenal retaliatório razoável.

Nossas mães foram criadas juntas e nós sempre nos tivemos como primos, o que não quer dizer que não brigássemos amiúde. Elas contavam que, quando nossos pais cursavam a Escola de Estado-Maior, nos engalfinhamos numa briga, que foi necessário nos colocarem embaixo do chuveiro gelado.

Em outra oportunidade, eu cruzava a praça da Matriz, em Cruz Alta, para ir à sua casa, e me abaixei para, distraidamente, brincar com os peixes. O zelador, um senhor fortíssimo, mudo e com o cabelo comprido, de quem eu tinha muito medo, veio silenciosamente por trás e me levantou pelos tornozelos. Lembro-me apenas dos meus cabelos riscando a água. Quando me soltou, tive de voltar para casa, pois estava com as calças molhadas.

Aí já se antevia a bravura do futuro guerreiro de selva.

Meus pais se casaram em janeiro de 1950. Minha mãe, sem nenhuma experiência de vida militar, mas munida de muita espontaneidade, bom humor e liderança, cumpriu um papel marcante em sua carreira.

Quando ele, mais tarde, serviu na Eceme, ela estruturou um curso de extensão cultural para mulheres. Vinte anos depois, Cida replicou esse modelo, por onde passei, com total sucesso entre as esposas.

No dia 15 de março de 1967, minha data de praça e de ingresso na Escola Preparatória de Cadetes do Exército (EsPCEx), minha mãe me deu um porta-tudo (utensílio de pano pendurado em um cabide, presente no armário de quase todos os alunos), feito por ela. Aquele era marrom e esteve comigo em todas as unidades onde servi ao longo dos quase 52 anos de carreira. Ali estiveram guardados todos os tipos de utensílios necessários ao dia a dia de um soldado: graxa e escova para sapato, flanela e líquido para lustrar a fivela do cinto, elástico para coturnos, lenços, meias limpas e sujas, pacotes de biscoito, frutas e tantos mais. Sempre imaginei devolvê-lo à minha mãe no dia em que passasse para a reserva. Tive que fazê-lo a meus irmãos – Hugo e Rodrigo –, pois uma leucemia a havia levado cinco anos antes.

Ela sempre foi meio mãe dos subordinados do marido. Quando meu pai servia na Escola Preparatória, ela visitava os doentes e levava bolo no dia das mães para os que, por morarem longe, não viajavam. Foi madrinha de formatura do amigo Medeiros, paraibano, cujos pais não tiveram condições de se deslocar para Campinas.

Dois ela adotou efetivamente: Wellington, gaúcho de Santa Maria, dois anos mais antigo que eu, e o pernambucano Geraldo Gomes de Matos, mais moderno; que, aliás, sempre se mostrou o filho mais carinhoso. Quando, morando longe, eu ligava pelo dia das mães, ela dizia em tom de deboche: o Geraldinho já ligou!

Tiveram quatro filhos. Perderam um com três anos, vítima de complicações decorrentes de uma poliomielite. Ficamos Hugo, ano e meio mais novo que eu, engenheiro agrônomo, doutor; como a esposa, trabalhou a vida toda na Embrapa, essa empresa a quem o Brasil tanto deve. O outro, Rodrigo, dez anos mais novo, cursou educação física e atualmente é professor em academias no Rio de Janeiro.

Hugo e eu infernizamos a vida de minha mãe pelo tanto que brigávamos, normalmente por minha culpa, a ponto de ela nos levar a uma benzedeira. Nós dois só passamos a nos tolerar depois que, com 15 anos, ingressei na Escola Preparatória. Para o Rodrigo também sobrava um pouco.

Em nossa casa, houve um episódio misterioso, até hoje não esclarecido, quando Hugo e eu tínhamos por volta de dez anos. Uma de nossas brincadeiras preferidas, junto com amigos, era o futebol de botão. Nos dedicávamos ferrenhamente a obter os melhores jogadores. As fontes eram as mais diversas: lentes de relógios, galalite, coco, botões de roupa, enfim, tudo que servisse para encobrir o goleiro. Nesse período meu pai comprou uma japona com botões apetitosos. Certo dia, a japona apareceu sem nenhum botão. A pergunta era inevitável: qual dos dois fez isso?

– Foi o Hugo!

– Foi o Eduardo!

– Muito bem. Enquanto não aparecer o responsável, os dois não saem de casa.

Até hoje meu principal suspeito é o Hugo, seguido por alguns amigos. Da parte dele, o suspeito sigo sendo eu.

Depois de um tempo, passei a suspeitar que nosso pai nos passou um trote, pois não me recordo de que tenhamos cumprido a sentença.

Até hoje os suspeitos seguem os mesmos, sendo que alguns chegaram a generais!

Seu pai estimulava os filhos a serem militares?

Não, ele sempre foi absolutamente neutro. Meus dois irmãos, por exemplo, nunca quiseram saber da vida militar.

Nesse aspecto vivi uma situação bem peculiar. Quando fomos para Campinas, em 1966, eu estava cursando o quarto ano do ginásio. Morávamos na vila militar, no interior da Escola Preparatória. Foi, portanto, uma decorrência natural eu ter prestado concurso para a escola, após um ano de preparação no cursinho do então capitão Menna Barreto.

E sua mãe não trabalhava fora, ela acompanhava o seu pai?

Minha mãe não trabalhava. Naquele tempo dificilmente as esposas o faziam. Fez o Curso Normal e mais tarde especializou-se em educação para surdos-mudos. Logo, meu pai foi transferido novamente e ela teve de interromper o trabalho.

O senhor descreveu, me corrija se eu estiver errado, uma vida tradicional de filho de militar: vilas militares, colégios militares, transferências, novas escolas...

Absolutamente normal, com mudanças frequentes. A tristeza de despedir-se dos locais era compensada pela expectativa de angariar novos amigos no destino. Traumatizava-me, contudo, a troca de escolas. Quando chegamos ao Rio, fui matriculado no Externato Cristo Redentor, na Urca. No primeiro dia de aula, não houve maneiras de me fazerem entrar no ônibus escolar. A diretora, dona Iolanda, passava-nos sermões homéricos. Lembro-me especialmente de um, diante de uma palmeira imperial no Jardim Botânico, em que ela, apontando para a árvore, comparou o tronco retilíneo a como deve ser o caráter de um homem.

Os filhos de militar, atualmente, mantêm-se em contato permanente no que eles denominam de comunidade dos FM (filhos de militar).

Quer dizer, por ser filho do chefe da Divisão de Ensino, sua vida não era facilitada.

Pelo contrário. Essa condição, se por um lado me trouxe o conforto de estar vizinho à minha casa, situação totalmente diversa daquela encontrada por meus companheiros do Norte, Nordeste, Oeste e Sul, por outro vivia submetido a intensos trotes pelos veteranos. Especializei-me em arrumar camas, engraxar sapatos, passar roupa e outras coisas mais prosaicas, como contar histórias para os veteranos dormirem. Ao longo da vida, acabamos nos tornando amigos. Em represália, já como comandante, muitas vezes me diverti obrigando-os a contarem aquelas reminiscências a partir da pergunta que lhes fazia em público: "Coronel Maldonado, é verdade que o senhor anda espalhando que eu engraxava seus coturnos?"

Um legado importante que a escola me proporcionou foram os amigos de toda a vida, tantos que não me atrevo a citá-los pelo risco de omissão. Abro uma exceção ao George Agnew, meu derrancho[4] por três anos. O infante mais ferrenho e com a melhor nota de aptidão para o oficialato de toda a turma, por motivos do coração, preferiu ir para Belo Horizonte, onde cursou arquitetura e teve um casamento muito feliz. Por um tempo, George teve uma provedora de internet na qual cadastrou todos os integrantes das turmas, tanto da Preparatória quanto da Aman, tornando-se ponto de referência para militares e civis.

Em relação aos oficiais da escola, eu era tratado com rigor, mas nada que extrapolasse a normalidade ou que eu não merecesse. Encontrei excelentes instrutores, como o capitão Bezerril e o tenente Garlipp, respectivamente, meus comandantes de companhia e pelotão. De certa forma, ambos fizeram com que eu começasse a simpatizar com a infantaria.

Um fato marcante, contudo, envolvendo meu próprio pai, teve efeito em toda a minha carreira no sentido de mostrar que o fato de ser filho de oficial não me traria nenhuma prerrogativa especial; ao contrário, minhas obrigações seriam redobradas. Como chefe da Divisão de Ensino, ele supervisionava o trabalho dos professores – militares e civis –, todos, aliás de excepcional nível, catedráticos, com frequência eles próprios autores dos livros didáticos adotados. Em uma aula de física, eu estava distraído, olhando pela janela. Ao ser

---

4. "Derrancho" é uma gíria da Aman, que significa "companheiro num exercício". Ver: <www.ahimtb.org.br/GIRIAS%20DOS%20CADETES%20NA%20AMAN.pdf>. Acesso em: 20 mai 2020.

chamado à atenção, dei uma resposta mal-educada. No intervalo das aulas, entrou um soldado e perguntou: "O aluno Villas Bôas, quem é? O coronel Villas Bôas quer falar com o senhor." Pensei cá comigo: "Isso não vai dar certo..." Entrei no gabinete de meu pai, apresentei-me e permaneci na posição de sentido. Debaixo do bigodão preto eu ouvi: "Fecha a porta e fica à vontade, porque a conversa vai ser entre pai e filho. Só o que me faltava agora era você ficar bancando o engraçadinho e ser desrespeitoso com os professores!" O restante do que disse eu não lembro, pois procurava à volta por onde correr, caso viessem os sopapos que eu julgava prováveis e merecidos.

Meu pai tinha uma característica que orientou minha conduta por toda a vida. Não que eu a perseguisse, mas deixei que naturalmente acontecesse. Não tive maturidade para percebê-la, até que em 1977, eu, primeiro-tenente, fui visitar um oficial que com ele servia, na Eceme, onde era subcomandante. Tratava-se do tenente-coronel Mario Domingues, que, como major, fora meu comandante no Curso de Infantaria da Aman. Um homem simples, nordestino de grande coragem moral e liderança, estava em cadeira de rodas devido a uma enfermidade, desconhecida até então. Nessa oportunidade, disse-me ele: "Seu pai tem uma grande qualidade: é uma pessoa normal."

Como foi essa transição para o senhor se tornar um aluno militar? O senhor era filho de militar, membro de uma família de militares, mas agora passava a ser enquadrado como aluno militar.

Meu pai teve uma educação muito rigorosa, oriundo de família modesta. Em consequência, foi muito rígido comigo, mormente em relação a questões de horário e a preceitos éticos. Portanto não tive dificuldades de adaptação.

Em relação à vida militar, quem não passou por ela costuma ter ideias distorcidas e preconceituosas sobre esse ambiente. A disciplina estabelece limites no interior dos quais se vive com espontaneidade, liberdade e, via de regra, com alegria e bom humor. A prática demonstra, por meio dos resultados obtidos em vestibulares, certames de ciências, matemática, literatura, artes, música, esportes, automação e robótica que a disciplina, ao contrário de inibir a criatividade, a estimula e garante um tratamento respeitoso, em todos os níveis, além de desenvolver hábitos saudáveis. Não se ouve, por exemplo, falar de agressões entre pais, professores e alunos. A letra de uma música de Renato Russo diz: disciplina é liberdade.

Aqueles que eventualmente têm oportunidade de comparecer a uma cerimônia militar geralmente encantam-se com o efusivo clima de confraternização e com a exteriorização de emoções pelo reencontro de velhos camaradas.

Há outro efeito produzido pela convivência no interior das corporações militares, esse de importância institucional. Trata-se dos comprometimentos que aí são forjados: indeléveis e permanentes. Dão-se em três níveis. O primeiro ocorre entre os companheiros, em razão do conhecimento mútuo sobre as características recíprocas vividas diuturnamente, tornando-os irmãos perpetuamente. O segundo nível de comprometimento se constrói em torno do Exército fisicamente, o grande castelo protetor que nos abriga, nos protege, nos ensina, nos educa, provê nossas necessidades, forja nosso caráter, amolda nossa personalidade e obriga a nos superarmos. O terceiro nível, por si só o mais importante, diz respeito aos valores da profissão praticados cotidianamente, a ponto de serem os principais fatores de distinção dos militares perante a sociedade a que servimos e razão primordial de nossa solidez.

O que acabamos de reportar não significa que a adaptação seja fácil ou imediata, mas faz parte do conjunto de obstáculos naturais a superar como forma de valorização dos esforços iniciais. São circunstâncias não vividas anteriormente, tais como as novas rotinas, a perda do conforto caseiro, a saudade dos pais, familiares e amigos, os horários rigorosos e os encargos consigo próprio e com os pertences que lhe são confiados pelo Exército.

2
Na Aman

Disse para mim mesmo: "O meu chão é aqui."

Naquela época, quem era aprovado na Preparatória tinha o ingresso direto na Aman, não precisava fazer o vestibular.

Sim. Eu me encantei com a academia quando, durante o terceiro ano de Campinas, fomos visitá-la. Ao me deparar com aquele universo grandioso, disse para mim mesmo: o meu chão é aqui. Em consequência, em fevereiro de 1970, eu participava da cerimônia simbólica de entrada pelo portão dos novos cadetes, para, em dezembro de 1973, passar pelo portão de saída dos novos aspirantes.

No dia em que, com os ônibus alinhados em frente à Escola Preparatória, nos aprontávamos para embarcar para Resende, meu pai me chamou para um lado e disse: "Vai tranquilo, porque sua família é um grande trunfo que você leva consigo."

Confesso que somente bem mais tarde compreendi o significado daquelas palavras de alguém oriundo de um ambiente familiar tão simples, austero e correto. Realmente, hoje me dou conta de que, até falecer, em 1996, aos 72 anos, jamais o vi transigir consigo próprio. Era um homem sério, quase carrancudo, contudo, afetivo e emotivo. Seus sonhos, ambos frustrados, eram chegar ao ano 2000 e presenciar minha promoção a general.

Tampouco imaginava eu que, naquele dia, iniciava uma jornada de tão intensas aventuras, realizações e felicidades.

Quando eu fiz a pesquisa na Aman,[5] ouvi muitos cadetes que vieram da Preparatória dizerem que essa transição não era tão tranquila quanto

---

5. Referência à pesquisa de campo realizada durante o curso de mestrado em antropologia social no Museu Nacional da UFRJ em 1987-1988, que resultaria numa dissertação de mestrado (1989), *O espírito militar*, publicada em livro pela editora Zahar em 1990, com uma segunda edição em 2004.

eles imaginavam. No terceiro ano da Preparatória, eles eram veteranos, mas, quando entravam na Aman, viravam "bichos" de novo e eram nivelados com os que entravam na vida militar pela primeira vez.

É compreensível. O aluno do terceiro ano em Campinas tinha prerrogativas que desapareciam no momento em que se tornava cadete do primeiro. Eram submetidos à repetição das instruções básicas, com o intuito de proporcionar o nivelamento com o pessoal de outras origens, como os de colégio militar e os civis selecionados por meio do concurso de admissão.

Esse contraste desapareceu desde que Campinas passou a ser o primeiro ano da Aman e o único caminho de ingresso para a academia.

Rapidamente me adaptei à Aman. Meus pais moravam a apenas quatro horas (em Campinas). Tinha, portanto, a possibilidade de visitá-los (e a namorada), se o quisesse, semanalmente.

Gostava muito das atividades, mais intensas e rigorosas, especialmente as esportivas. Embora eu não fosse nenhum expoente, era selecionado para as equipes de natação e polo aquático. Meu maior feito se deu durante as olimpíadas acadêmicas, em que, ao final de uma partida duríssima contra o segundo ano, eu entreguei gratuitamente a bola a um adversário, já tão exausto quanto eu, que descansava junto ao nosso goleiro. Gol! E uma ruidosa aclamação. Espero que os anais esportivos da Aman não tenham perpetuado essa amarelada típica de bicho. Terra Amaral zomba de mim até hoje.

Isso minimizou a saudade da família. Muitos cadetes falam de a ida para a Aman ter sido a primeira vez em que muitos deles foram morar sozinhos.

Eu creio que em Campinas era mais difícil a adaptação, pela idade e pelo clima frio, para o pessoal do Norte e Nordeste, além do que a Aman oferecia mais opções de lazer.

Naquela época, a escolha da arma era feita ao final do primeiro ou do segundo ano?

Ao final do segundo ano básico. Os critérios que levam a essa opção são bastante aleatórios: vocação, influência familiar, amigos, localização das unidades onde deverá servir no futuro, cursos de especialização a que pretende se candidatar no futuro e outros subjetivos.

No meu caso, quando dei por mim, estava escolhendo a infantaria. Não saberia dizer qual foi o fator preponderante. Trazia comigo a predileção pela artilharia, arma de meu pai, mas, como relatei, começou a mudar ainda na Preparatória. Tornou-se definitiva pela influência decisiva do então tenente Messias, meu comandante de pelotão no segundo ano básico. Merece destaque o fato de que, no Curso Básico, os oficiais jamais faziam proselitismo em favor de sua arma.

Nessa questão, meu pai me proporcionou outra passagem típica da sua nobreza de caráter. Quando levei a ele minhas dúvidas, ele foi direto: "Se eu te conheço bem, vais para a infantaria."

No dia da cerimônia de entrada na arma, ele me presenteou com uma placa de bronze, onde constam os distintivos da infantaria e da artilharia, e, entre eles, os dizeres: "Ao jovem infante, a homenagem do velho artilheiro e o orgulho do velho pai."

O senhor falou da questão do exemplo. Nesse caso, o exemplo do tenente, do comandante de pelotão.

Espero, ao longo da carreira, jamais ter proporcionado maus exemplos. Não teria o direito, pois não os recebi. Os poucos que presenciei me foram muito fáceis de discernir.

A preocupação com o exemplo, na liderança militar, constitui-se num fundamento básico, pois ela deve alicerçar-se em sólidos suportes éticos, já que o chefe militar detém a prerrogativa de mandar seus subordinados em direção ao perigo e, eventualmente, ao risco de morte. Segundo Bernardinho, "ninguém se torna líder transgredindo princípios e valores".

Lembro-me de que, ao final do primeiro ano da Aman, houve uma grande manobra de encerramento das instruções militares anuais. Como sempre acontece, os cadetes do Curso Básico são alocados para as armas, integrando e completando os efetivos das unidades de manobra. Eu desempenhava a função de soldado esclarecedor, de alguma esquadra, de grupo de combate, de algum pelotão, de alguma companhia do 84º BI [Batalhão de Infantaria], como é chamada até hoje a unidade de exercício da infantaria. Caminhamos o dia inteiro, totalmente equipados, sob o sol escaldante típico dos novembros de Resende. Ao final do dia, desabou uma tempestade que nos fez passar instantaneamente do calor para o frio. Jantamos ao relento, com a comida nadando na água da chuva nas marmitas.

Foi então que me dei conta de que os oficiais de infantaria estavam entre nós, submetidos às mesmas agruras. Imediatamente, me identifiquei com aquele estilo de liderança, compatível com o que De Gaulle apregoava: "A mochila nas costas! Para uns, como para outros."

Um ícone de liderança, para nós infantes, era o então capitão Alberto Mendes Cardoso, nosso comandante de companhia do quarto ano de infantaria. Nós o chamávamos de Sombra, porque, onde nos achássemos, independentemente de lugar ou hora, ele sempre estava junto. Há várias passagens emblemáticas do nosso Sombra.

Ele protagonizou um episódio que nos proporcionou uma lição de liderança inesquecível: no ano de 1985, novembro, ele como major, comandante do Curso de Infantaria, desempenhava a função de comandante do 84º BI, na grande manobra de final de ano. No folclore acadêmico, há dois santos que não se dão bem: São Pedro e São Paio (Sampaio, patrono da infantaria). Sempre que os cadetes estão no campo, eles resolvem acertar suas diferenças. Naquele novembro, São Pedro devia estar particularmente mal-humorado, pois choveu sem parar do primeiro ao último dia da manobra, quando ocorreria a ação final: um ataque com transposição do rio Paraíba. Esse tipo de operação exige a participação de todos os sistemas operacionais e um planejamento detalhado, muita coordenação e, sobretudo, intensas medidas de segurança. Esses requisitos fizeram com que a operação se inviabilizasse em razão das condições em que se encontrava o rio, depois de tanta chuva, o que poderia comprometer a segurança dos cadetes e do material. Quando amanheceu o dia, comentava-se que a manobra iria ser suspensa. O major nos reuniu para informar que havia sido chamado ao posto de comando da brigada e que aguardássemos ordens. Ali ficamos, na chuva, conversando – cerca de 20 oficiais. Acabou se criando, entre nós, uma unanimidade no sentido de que o final da manobra realmente deveria ser antecipado. Cerca de hora e meia mais tarde, avistou-se o jipe deslizando na precária estrada de terra. O major desembarcou, enquanto aguardávamos em expectativa pelas novas determinações, até que ele, equilibrando-se sobre a lama, ainda sem olhar para nós, disse: "Imaginem só! Queriam encerrar a manobra. Que exemplo daríamos aos cadetes!?"

Silêncio absoluto! Cada um de nós saiu a realizar os preparativos decorrentes, sem dizer uma palavra.

Por ironia, o dia seguinte amanheceu com um sol lindo.

Como tenente, capitão, major e coronel, ele sempre se pautou por uma absoluta coerência e, até mesmo, coragem moral para quebrar alguns paradigmas. A partir de então, o hoje general Cardoso acabou gerando uma nova cultura de liderança no Exército.

Atualmente, uma parcela considerável dos soldados que incorporamos a cada ano frequenta algum curso universitário. Domina o mundo da tecnologia da informação com mais naturalidade do que nós, mais velhos.

Alterações profundas têm sido provocadas pela revolução tecnológica, cujos impactos não foram ainda dimensionados – até porque estão em constante evolução – nas comunicações e na interrelação das instituições e das pessoas. Houve mudanças nas relações sociais.

Em consequência, os mecanismos de justiça e disciplina, bem como as prerrogativas do comando, podem não ser suficientes se não forem acompanhados pelo exercício da liderança.

Sobre as novas gerações, pude constatar algumas das características que as distinguem, quando, atendendo a convite do comandante do Instituto Militar de Engenharia (IME), general Barroso Magno, fui proferir a aula magna de abertura do ano letivo. O IME é uma escola de renome nacional graças ao elevado nível de excelência dos cursos de graduação e pós-graduação. Ocupa um papel importante na cadeia de ciência e tecnologia do Exército.

O auditório estava lotado por um público bem diversificado, pois o IME abriga desde jovens civis até oficiais antigos, passando pelos que ali dão início à carreira de engenheiros militares, que poderá levá-los a generais.

Em minhas palestras, costumava endereçar questionamentos a alguém da plateia. Chamei um menino sentado no mezanino e, como sempre faço, perguntei-lhe qual livro estava lendo. Respondeu-me. Insisti que discorresse sobre a natureza da leitura em si. O aluno, muito desenvolto, houve-se muito bem. Agradeci e disse que se sentasse. Para minha surpresa, ele permaneceu em pé e arrematou: "General, que livro o senhor está lendo?" Fiquei encantado com a espontaneidade típica das gerações novas. Jamais, no tempo de cadete, algum de nós se atreveria a agir dessa forma.

Sempre estimulei a leitura. Como comandante constatei que a condição básica para exercer a liderança político-estratégica repousa, sobretudo, na cultura geral. "Nunca houve um grande capitão que não fosse douto e ciente", apregoou Camões.

General Cardoso e eu, ao longo da vida, desenvolvemos uma relação muito estreita, quase entre pai e filho. De uma espiritualidade elevada, ele abordava qualquer questão sob um ângulo que normalmente nos escapa. Servíamos na Aman, 1980, ambos no Curso de Infantaria; ele, major-comandante e eu, capitão. Eu já estava há três anos como instrutor e, diante da possibilidade de ser transferido, requeri fronteira. Fui classificado no Rio de Janeiro, o que me impediu, pela segunda vez, de servir na Amazônia. Andava meio abatido como um oficial não se deve permitir, até que o major me chamou: "Os grandes caminhos da vida, não se deve tentar alterá-los, pois eles trazem consigo razões e sabedoria que nos escapam. Só vamos entender mais tarde, ou, algumas vezes, jamais os perceberemos. A vida é como a água que, naturalmente, vai contornando obstáculos em busca do melhor caminho."

Esse pensamento passou a fazer parte do meu arsenal de aforismos. Adotei como filosofia de vida.

A Academia é uma forja de amigos. Amigos para a vida toda. Amigos que nossos filhos chamam de tios. Eu, particularmente, sou movido a amigos. Não quero correr o risco de nomeá-los pela possibilidade de, por omissão, cometer injustiças. Alguns, contudo, não posso deixar de citar.

Pavin, Antônio Carlos e Toscano. Péssimas influências. Toscano tinha um fusca muito velho apelidado de "jugurta", com o qual nos divertimos bastante. Num sábado, fomos a uma churrascaria em Itatiaia. Na volta, um pneu traseiro furou. Logicamente que não havia macaco. Tivemos de levantar o carro no braço.

Heleno. Carinhosamente me acolheu no GSI [Gabinete de Segurança Institucional]. Desde instrutores da Aman, aqui e ali, convivemos. Certo dia o procurei: "Heleno, pelas limitações que a doença me trouxe, eu acho que estou te ajudando pouco. Se não se incomodar, vou pedir para sair." Respondeu: "De jeito nenhum. Fica aí porque você é muito importante. Todo mundo vem falar com você." Lá estava, lá fiquei.

General Brandão. Amigo mais que especial. Instrutores da Aman, em muitos exercícios conjuntos, realizamos travessias de cursos d'água por botes, passadeiras, portadas e pontes. Comandamos simultaneamente na Amazônia, ele em Boa Vista e eu em Manaus. Repartimos lugares no Alto-Comando. Foi a ele que o meu substituto

Leal Pujol transmitiu a missão de cuidar de mim. Impossível desvelo maior. É secundado por outro amigo, general Peixoto.

General Oliveira Freitas. Gauchão de cavalaria, vive às voltas com seus cavalos lusitanos, o que não o impede de ter uma mentalidade voltada para todas as modernidades. Ele e a Clo são padrinhos da minha caçula Adriana. É o autor de uma das frases mais bonitas sobre a Aman: "Cadetes. Do alto das Agulhas Negras, o Brasil debruçado vos contempla."

Há também os que eu chamo de "irmãos profissionais". Éramos unidos desde o tempo de cadetes, inicialmente pela identidade de pensamento e de valores; mais tarde, em relação à carreira e à vida.

Os dois Sergios. Etchegoyen, primo por afinidade, e Aita, primo de sangue.

General Bolivar. Gaúcho de Santa Maria. Amigo de sempre. Conversávamos por horas sobre a transformação. É a pessoa com maior bom senso e equilíbrio que conheço.

General Sodré. Foi em sua casa que, por dois meses, Marco Aurélio, Dangui e eu nos reuníamos para estudar com vistas à Eceme. Os quatro logramos aprovação. O grupo de estudos manteve-se nos dois anos na Praia Vermelha.

General Rocha Paiva. Nadava ainda pior do que eu; em compensação, sempre foi intelectualmente brilhante. Conhecedor profundo de história militar, geopolítica e estratégia. Filho do velho general Paiva, herói da FEB [Força Expedicionária Brasileira] e nosso comandante do corpo de cadetes. Rocha é o intelectual da turma, nosso Jarbas Passarinho.

General Marco Aurélio. Um personagem único, difícil de descrever. Somente conhecendo e convivendo, é possível apreciar as características ímpares que possui. Está assumindo a presidência do Instituto General Villas Bôas. É um dos principais suspeitos pelo desaparecimento dos botões da japona de meu pai.

General Peret. Nos conhecemos no segundo ano da Aman. Também nadador, logo desenvolvemos grande afinidade. Sempre presente e solícito, tornou-se amigo irmão. De personalidade bem diferente da minha. Impulsivo, impaciente e brigão, é a ele que recorro para resolver problemas sérios. É a pessoa de quem levei mais carraspanas na vida, mesmo quando comandante. Possui a maior cultura técnico-profissional que conheço. Fizemos juntos o Curso de Guerra na Selva. Provavelmente, não fosse seu suporte, eu não teria chegado ao final. Começou a namorar como cadete e casou-se com Izabel, menina de Resende. Pessoa certa para aturar as impaciências do "Beto". Izabel é a irmã que eu não tive.

General Terra Amaral. Também amigo irmão. Declarados aspirantes, fomos para Porto Alegre, onde, por dois anos compartilhamos um apartamento. Primeiro da turma, inteligentíssimo e reservado. Ele, de poucas palavras, e eu, também não muito falante, permanecíamos horas sem nos falar e nos entendíamos perfeitamente. Boa-pinta, sempre fez enorme sucesso com o sexo feminino, foi fisgado, ainda como cadete, pela Reina, menina linda de Resende. Terra é uma figura excepcional, muito melhor do que ele pensa que é.

Na Aman, há uma vida associativa grande: grupos religiosos, grupos de esportes, de montanhismo... O senhor participava de alguma dessas atividades?

Como eu era atleta, não tinha muita disponibilidade para participar de outras atividades. Desde pequeno, sempre pratiquei esportes, mas colecionei poucas glórias esportivas. Ao contrário, protagonizei alguns vexames.

Quando menino, na Praia Vermelha, o pai de um amigo era conselheiro do Flamengo. Montamos uma seleção de futebol de salão e fomos jogar contra eles. Lá chegando, nos deparamos com uns meninos mirradinhos e de canela fina. Logo de início fizemos um a zero e acabamos perdendo por onze a um.

Coisa semelhante aconteceu na academia. Achávamos que nossa equipe de polo aquático fosse excepcional, até jogarmos contra o juvenil do Vasco da Gama. Nós cadetes, todos fortões e eles, uns meninos esguios, muito menores do que nós. Igualmente saímos ganhando por um a zero, para, no final, amargar um doze a um.

Outro vexame devo ao general Sodré. Foi na Preparatória, durante a NAE, competição que reúne as congêneres das três Forças – Naval, Aeronáutica e Exército. Eu não havia obtido índices para ser convocado. Nossa equipe era fraca, por isso o Sodré foi obrigado a nadar diversas provas. Estava eu tranquilo na arquibancada, quando alguém me procura. "O Sodré travou (cansou), o capitão deu ordem para você nadar a prova de golfinho." Era exatamente meu pior índice. Resultado? Um retumbante último lugar.

Realmente, na Aman havia inúmeras associações e clubes, de caráter esportivo, social, recreativo, beneficente, religioso, de assuntos profissionais, administrativos, de lazer e culturais. Eventualmente, organizavam festivais de música e dança, com participação de artistas de renome nacional. Cada arma possuía uma agremiação de cadetes. O da infantaria chamava-se Grêmio Sampaio, cujos integrantes da diretoria eram todos do quarto ano.

O Grêmio Sampaio fazia o quê?

O Grêmio Sampaio atuava em prol dos cadetes e oficiais da arma, por meio de atividades da mesma natureza das demais agremiações. Buscava assim a convivência e a integração com as famílias e a sociedade civil.

Há também a Sociedade Acadêmica Militar (SAM), que abrange todo o corpo de cadetes, independentemente de arma ou curso, com um rol semelhante de incumbências.

No quarto ano, foi eleito por todos os cadetes, para presidir a SAM, o cadete Tomás. Ali já se encontrava a semente da liderança que o caracterizaria por toda a vida. Pediu que eu assumisse o cargo de orientador da SAM. Os membros da diretoria eram muito proativos.

Frequentemente programavam eventos ou atividades que tangenciavam o limite dos regulamentos e das normas da Aman. Tinha eu de convencer, a duras penas, o comandante do corpo de cadetes, o velho coronel Longhi, durão, mas muito humano.

Certa vez, Tomás e a diretoria programaram a apresentação de um grupo de mulatas no cinema acadêmico. Coronel Longhi autorizou, mas recomendou: "Não quero saber de cadetes no palco dançando. Entendeu?" "Sim, senhor", respondi. No dia marcado, teve início a apresentação das mulatas, belíssimas e com vestimentas sumaríssimas. A empolgação dos cadetes foi num crescendo, sem, contudo, extrapolar os limites. Entra então, sozinha, uma mulata escultural, sambando maravilhosamente bem. Num determinado momento, vira-se para a plateia e, em tom de provocação, pergunta: "Não tem homem pra vir sambar comigo?" Pula no palco um cadete de cavalaria, de bota e esporas, e "leva um samba no pé". O cadete era alto e forte, moreno, de alguma comunidade do Rio de Janeiro, filho de mãe sambista. Fez uma boa figura. No dia seguinte, sou chamado pelo coronel Longhi. "Villas Bôas. Eu não recomendei que não deveria haver cadetes no palco?" Respondi: "Coronel, me acredite. Era uma questão de honra da firma." Depois de umas baforadas no cigarro com piteira, sorriu e disse: "Tá bem!"

Na academia, são tradicionais os exercícios inopinados, em que um determinado grupo de cadetes é acionado inopinadamente para cumprir missões operacionais, normalmente à noite. Em cada curso elas recebem um nome que diz respeito às tradições e ao espírito da arma. Na infantaria eram chamadas de "Manda Brasa". O desencadeamento ocorria por intermédio do cadete designado para comandar a operação. Eram realizados das mais inusitadas maneiras, mercê da criatividade dos oficiais. Por exemplo, o cadete, ao virar o prato no jantar, encontrava um envelope detalhando as ordens sobre a missão a cumprir, discriminando também quais seriam os demais participantes do exercício. Ou então, ao descansadamente ligar a televisão do cassino, deparava-se com um locutor anunciando a descoberta de um acampamento de traficantes e que uma patrulha seria encarregada do reconhecimento.

Normalmente, o cumprimento das missões implicava definir minuciosamente a organização das patrulhas, definição da função específica de cada participante, seleção do material a ser conduzido, escolha dos itinerários de infiltração e de retraimento, medidas de comando e controle, normas de segurança, medidas em relação a mortos, feridos e prisioneiros, ou seja, um planejamento complexo e detalhado. Tudo acontecia sob pressão psicológica dos instrutores. As finalidades dessa modalidade de atividades operacionais envolviam o aferimento de atributos a serem testados em cada cadete, além do adestramento. Em pouco tempo, aqueles cadetes, já como oficiais, poderão estar comandando um pelotão de fronteira e ser obrigados a cumprir missão similar. Um componente importante estava em, por meio da forma surpreendente de acionamento, provocar a reversão da expectativa por horas de lazer ou por um momento de descanso, para o desconforto de uma noite inteira percorrendo caminhos difíceis, com privação de sono e a superação da fadiga. Todas essas circunstâncias testavam sobretudo a resiliência e o espírito de cumprimento de missão de cada um dos cadetes. O desempenho apresentado era computado na ficha de avaliação individual e no cômputo dos graus, com possível influência na classificação de final de curso.

Em 1980, eu comandava o terceiro ano de infantaria. Os tenentes planejaram um Manda Brasa para uma quinta-feira à noite. Seriam quatro patrulhas e, em consequência, igual número de comandantes. Foram selecionados os cadetes Tomás, Milton Sils, Lundgren e Gláucio. O acionamento, perversamente planejado, ocorreria na minha residência. Convidei os quatro para jantar em casa. Quando estavam todos acomodados, eu disse para a Cida trazer as bebidas e os aperitivos. Aparece ela trazendo uma bandeja com quatro rações operacionais e os respectivos envelopes com as ordens de acionamento.

Foi pena não ter fotografado as expressões desapontadas. Mais tarde, logicamente fizemos um jantar para os quatro, dessa vez sem sustos. O agora general Tomás conta essa história com muita graça, pois eles quatro, ao saírem da ala para o jantar, zombavam dos demais companheiros, com o mote de que iriam passar bem na casa do comandante. Meia hora depois, reapareceram com cara desenxavida (expressão usada por minha mãe).

3
O anticomunismo

Tive uma influência de casa: meu pai.

O senhor tinha oportunidade de ter alguma vivência no que os cadetes às vezes chamam de "mundo de fora"? No Brasil, vivia-se o governo Médici, que por um lado teve o milagre econômico, mas, por outro lado foi, politicamente, o governo mais fechado, mais repressivo. Os senhores acompanhavam esse cenário nacional?

Os militares à época tinham ainda na memória a Intentona Comunista de [19]35, além do fato de estarmos vivendo a Guerra Fria em seu período mais agudo. Sem considerar esses aspectos, é praticamente impossível ter uma visão acurada daquela conjuntura. O embaixador e professor Carlos Henrique Cardim afirma que, no Brasil, a Guerra Fria nunca foi estudada em profundidade, daí a persistência de uma visão unilateral em alguns setores da sociedade. Nunca foram levados em conta os imperativos da geopolítica então vigentes, a expansão do mundo comunista, as internacionais socialistas e o apoio de Cuba, da China e da União Soviética à luta armada na América Latina. Por outro lado, ainda há protagonistas daquele período vivos e em atividade. Ou seja, ainda não temos o distanciamento suficiente que proporcione uma perspectiva histórica isenta.

Respondendo à sua pergunta, tínhamos uma convivência normal com o mundo exterior. Internamente, éramos mantidos a par dos acontecimentos, com enfoque na luta armada, pois tínhamos a perspectiva de que, quando nos formássemos, poderíamos nela ser engajados.

Meu pai viveu um episódio marcante em relação a esse tema. Em 1956, ele era capitão e servia no 2º Grupo de Artilharia de Costa/Fortaleza de São João (2º GACos/FSJ), no final da Urca. Vivia-se um ambiente de acirramento de ânimos em face da iminente eleição para a presidência do Clube Militar. Dos dois candidatos, um, apoiado pela artilharia de costa, era identificado com a esquerda; o outro era apoiado pelo general Castelo Branco. Houve então uma reunião de apoio ao candidato da esquerda. Meu pai se recusou a ir; em consequência, o comandante o puniu. Carlos Lacerda tomou conhecimento e abriu sua diatribe pelos jornais, com a estridência que lhe era peculiar. O vulto adquirido e a forte repercussão assumida pelo episódio levaram o então ministro da Guerra a intervir. O general Lott convocou meu pai ao seu gabinete e comunicou que iria transferi-lo para a guarnição de sua escolha. Lá fomos nós de volta para Cruz Alta. Na época com cinco anos, tenho vagas lembranças do embarque na estação ferroviária. Segundo meu pai, o general Castelo Branco lá estava e posteriormente escreveu uma carta de agradecimento. "Pai, onde está a carta?" "Se perdeu em alguma mudança."

Uma curiosidade: em 1956, uma viagem de trem do Rio de Janeiro a Cruz Alta durava três dias e três noites, para deleite de meu irmão e meu. À noite, nos encantava ver o rastro de fogo deixado pela chaminé da maria fumaça.

No dia 31 de março de [19]64, meu pai era major e servia em Santa Maria, após ter concluído o curso de Estado-Maior. Não morávamos em vila militar. Eu me lembro de que à noite meu pai passou em casa, estava num jipe com mais alguém, e disse para minha mãe: "Nós vamos percorrer as unidades do interior para nos certificarmos da adesão ao movimento. Não abra a porta, porque meu nome está nas listas do Grupo dos Onze do Brizola para ser mandado ao paredão."[6] Esse episódio influenciou uma atitude que tomei como comandante.

---

6. Também conhecido como "Grupo dos Onze Companheiros", foi um movimento de esquerda criado no final de 1963 pelo então deputado federal Leonel Brizola, com o objetivo de lutar pela implantação das reformas de base preconizadas pelo presidente João Goulart. O movimento seria estruturado em pequenas células de onze participantes, numa referência ao número de jogadores de times de futebol.

Mais adiante vou reportá-la.[7] Entregou um revólver a minha mãe, que nunca tinha segurado uma arma, comeu alguma coisa e partiu. Ficamos apreensivos pela total incerteza sobre o que viria.

Havia uma célula comunista na Aman?

Eram cadetes de duas turmas mais antigas que a minha. Alguns foram meus veteranos na Preparatória. Não tenho certeza se ocorreu em 1968 ou 1969; portanto eu ainda estava em Campinas. Tratava-se de uma célula, me parece, de estudos ou de posicionamento ideológico. Não realizaram nenhum outro tipo de ação.

Na Aman, os senhores acompanhavam o cenário político e econômico do país?

Acompanhávamos. Não intensamente, porque a vida acadêmica era muito exigente, o que nos mantinha totalmente absorvidos. Mas quando já estávamos na infantaria (terceiro e quarto anos), alguns instrutores com passagem pela luta armada nos transmitiam suas experiências, excitando nossa curiosidade. O Curso de Infantaria conduzia exercícios de operações contra a guerrilha urbana e rural. Tínhamos a expectativa de sermos empregados nessas missões no futuro, o que acabou não se confirmando porque, quando chegamos à tropa, as guerrilhas praticamente haviam sido extintas.

Foi somente quando, já como oficiais, chegamos à tropa, que passamos a tomar conhecimento de detalhes de como havia sido o período anterior, durante e logo após [19]64, e o quanto o dia a dia de algumas unidades havia sido afetado. Militares, entre eles alguns sargentos, foram cooptados pela esquerda. Houve perda de coesão, da confiança mútua e, mais grave, da disciplina. Essas circunstâncias, sob os parâmetros de hoje, são impensáveis.

---

7. Ver capítulo 11.

Os comícios do presidente João Goulart e as arengas do então deputado federal Leonel Brizola, estimulando a indisciplina, a revolta dos marinheiros, a adesão dos fuzileiros navais e outros episódios, que ameaçavam atingir a essência das Forças Armadas, há quem os interprete como tendo sido fatores determinantes para o desencadeamento do movimento de [19]64.

Nesse momento inicial como profissional, quando o senhor sai da Aman, começa o governo de Ernesto Geisel, já com um projeto de abertura política, embora lenta, gradual e segura. Como o senhor lembra essa época? O senhor acompanhava isso dentro do Exército, na sua patente, no seu nível hierárquico? O governo Geisel vai ser um governo de abertura, mas, internamente, vai ter a crise que levou à demissão do Frota, vão ocorrer os episódios no II Exército...

Os casos Frota e Ednardo[8] são demonstrações de que, ao contrário do que propalam alguns setores, a abertura e a anistia exigiram energia, determinação, autoridade e habilidade para vencer as resistências sem a perda da coesão. A abertura e a anistia foram fruto de um projeto de governo e do clamor de alguns setores. Quem não se lembra das palavras de ordem "anistia ampla, geral e irrestrita", o que torna incongruente qualquer tentativa de revogá-la? De nossa parte, olhávamos o processo de anistia com alguma preocupação, já que antagonistas históricos e participantes da luta armada estavam sendo beneficiados e voltando ao país.

---

8. O general Ednardo D'Ávila Mello estava no comando do II Exército, sediado em São Paulo, quando foram mortos, no DOI-Codi, o jornalista Vladimir Herzog (em 25 de outubro de 1975) e o operário Manuel Fiel Filho (em 17 de janeiro de 1976). Imediatamente após essa segunda morte, o general Ednardo foi sumariamente exonerado do comando pelo presidente Ernesto Geisel e acabou pedindo passagem para a reserva.

Não foi fácil, dentro da própria instituição?

Houve desentendimentos nos níveis mais altos.

O general Frota deixou um livro de memórias, que foi publicado muito depois de sua morte, intitulado Ideais traídos. *Eu escrevi a apresentação, quando organizei a publicação para a editora Zahar. Frota estava convencido de que contava com o apoio não só do Alto-Comando do Exército, mas da maioria da oficialidade, que seria contra o processo de abertura, ou pelo menos da forma como ele estava sendo conduzido. Mas aí, no embate final com o presidente Geisel, ele perdeu. A sensação que dá, é que Geisel não tinha a maioria do seu lado. Se fosse feita uma hipotética pesquisa de opinião entre a oficialidade, talvez a maioria tivesse mais desconfiança e receio do processo de abertura do que fosse favorável. Não sei se o senhor concorda; na época, o senhor era tenente.*

Não posso assegurar, mesmo levando em conta o que relatei anteriormente. Mas admito a possibilidade de que sua afirmação fosse verdadeira. Contudo tratava-se de sentimentos difusos e de baixa intensidade, longe de se superporem aos valores de disciplina e hierarquia.

Era um sentimento mais difuso?

Sim. Não posso asseverar quanto aos mais antigos da ativa ou da reserva, que viveram o movimento e suas circunstâncias. Aqui cabe uma curiosidade. Em conversa com o comandante do Exército colombiano, general Mejia, comentei sobre esse fenômeno, ao que ele relatou: "Você não imagina as reações que enfrentamos em decorrência do processo de paz com as FARC, depois de tantos combates com um importante efetivo de companheiros mortos. Os mais antigos não se conformam e se manifestam veementemente."

Durante o governo Geisel, como o militar era visto no meio civil? Era bem recebido, era hostilizado?

Se algum sentimento de hostilidade houve, era latente e sem visibilidade, pelo menos entre as pessoas comuns. Em Porto Alegre, como aspirante e como oficial, de 1974 a 1976, vivi apenas um episódio de manifestação de desagrado pelo fato de eu ser militar. Jamais tivemos restrições em andar fardados e, ao contrário, éramos bem recebidos nos ambientes que frequentávamos.

4
Começando uma nova família militar

A Cida foi sempre a esposa de militar perfeita.

O senhor sai aspirante, formado na Aman com a marca do exemplo do tenente, do capitão e agora começa sua vida profissional, na qual tem de exercer aquilo que aprendeu. Como foi esse início de carreira?

Foi muito importante para o prosseguimento da minha carreira. Fomos servir em uma unidade excelente, o 18º Batalhão de Infantaria Motorizado (18º BIMtz), cujo quartel ficava ainda ao lado da PUC, no bairro Partenon, em Porto Alegre. Éramos quatro: Terra Amaral, eu, Mauro Pinto e Marco Milost, os dois últimos de Porto Alegre. A família do Mauro Pinto acolheu o Terra Amaral e a mim com muito carinho.

O batalhão, além de estar com a dotação de material completa, tinha à frente um lendário comandante: o coronel João Manoel Simch Brochado, para nós, o Brochadão. Trata-se do mais exigente e inteligente oficial com quem servi, além de ser dotado de um arsenal incontável de outros atributos pessoais e profissionais. Todos os dias, às 17 horas, nos apresentávamos em seu gabinete, onde recebíamos inesquecíveis ensinamentos sobre a vida militar, afora os frequentes puxões de orelha.

Logo que chegamos, ao nos apresentarmos, ele informou aos quatro que havia mandado preparar um alojamento, onde deveríamos residir até a promoção a segundo-tenente, o que demoraria oito meses.

Depois de sete anos de internato, planejávamos alugar um apartamento para termos mais liberdade. Logicamente, não tivemos coragem de contestá-lo, até porque era fácil entender seu propósito: acelerar nosso processo de adaptação à vida na tropa e o desenvolvimento de nossas lideranças.

Mauro Pinto era muito pitoresco. Excelente atleta, alta liderança, permanentemente bem-humorado, espirituoso e proativo, comandava a Companhia Operacional. Eu era adjunto do oficial de operações (S/3) e estava planejando um acampamento de 10 dias no Campo de Instrução de Butiá, quando o Mauro apareceu com uma novidade: "Vou fazer um estágio de operações especiais com a companhia." "Tudo bem, mas não temos cota extra de munição, de combustível e muito menos de ração operacional", argumentei. "Eu me viro!", foi a resposta.

Deve ter infernizado a vida dos comandantes dos órgãos de suprimento, pois conseguiu tudo, menos a ração, que naquela época era um item crítico. Foi ao comandante e pediu para que ele se empenhasse pessoalmente. Por fim, as rações chegaram ao batalhão.

Durante o acampamento, minha tarefa era coordenar e fiscalizar as instruções das companhias. Um dia o comandante me chamou: "Vamos ver o Mauro Pinto!"

Lá fomos. Uma hora de marcha. Chegamos perto do meio-dia. A expectativa era encontrar os soldados consumindo as tais rações, contudo nos deparamos com uma churrasqueira gigante e uma quantidade enorme de frangos sendo assados. Pensei cá comigo: "O Mauro vai ter problemas." De pronto, o comandante perguntou: "Mauro Pinto, que frangos são esses?" "É tudo galinha selvagem, comandante!"

Brochadão não conteve o riso.

Houve outro episódio em que os atributos do comandante foram determinantes para o desfecho obtido. Em fevereiro de 1975, estávamos trabalhando nas atividades relativas à incorporação – entrevistas, triagens, exames médicos, testes físicos, distribuição pelas companhias, fornecimento de material etc. – quando chegou uma determinação para o batalhão: em três semanas, fazer uma guarda de honra para o presidente Médici. Passamos esse tempo num ritmo alucinado de preparação. O desafio era transformar recrutas inexperientes em soldados aptos a realizar ações coletivas com precisão, demonstrando ainda marcialidade, imobilidade, postura e impecável apresentação dos uniformes. Até mesmo a expressão facial e o olhar focado na autoridade, expressando altivez, orgulho e confiança tinham de ser ensinados.

No dia determinado, saímos cedo do quartel, com todas as precauções pertinentes àquela época: comboio impecável, com batedores e segurança. Nos posicionamos em frente ao Palácio Piratini. Após as medidas finais (cobertura e alinhamento, como só os infantes sabem fazer), últimas recomendações, palavras de estímulo e confiança, iniciamos o período de espera em total imobilidade. De repente, começou a garoar, mas a tropa permaneceu impassível. Foi quando um oficial do III Exército foi até o comandante e lhe comunicou que, devido à chuva, a cerimônia estava cancelada e a tropa deveria ser retirada. Brochadão manteve-se impassível, até que o comboio presidencial se aproximou e estacionou. O presidente, ao desembarcar, deparou-se com o comandante à sua frente apresentando-se: "Coronel Brochado, comandante do 18º Batalhão de Infantaria Motorizado, apresento a Guarda de Honra a Vossa Excelência e convido a passá-la em revista!"

O presidente, com seu ar bonachão, sem alternativa, empertigou-se e, ao som da banda do batalhão, inspecionou formalmente a tropa. Seguiu-se o desfile, igualmente impecável.

Em seguida, houve o embarque e o deslocamento de regresso. Ao reentrarmos no batalhão, estávamos exultantes e orgulhosos pela missão cumprida com êxito, sentimento potencializado pela apreensão que nos dominava em razão de todos os desafios extras que as condições conjunturais nos haviam imposto. Vale considerar como parâmetro de comparação que, com tropa experiente, dois dias de antecedência seriam suficientes para uma adequada preparação.

Desembarque, tropa em forma, em continência ao terreno, manutenção e devolução do material e armamento, seguido da almejada liberação, tudo acompanhado de palavras de cumprimento e orgulho e, logicamente, cada companhia se dizendo a melhor. Nisso, o corneteiro toca: reunião de oficiais. Lá fomos nós, apreensivos, saber o que o comandante iria nos dizer. Nós o encontramos feliz, satisfeito e orgulhoso, pedindo que transmitíssemos esses sentimentos aos subordinados. Lembro-me até hoje de uma frase que, ao longo da carreira, muitas vezes utilizei: "A melhor coisa para um comandante é sentir orgulho de sua tropa."

Em seguida, nos relatou o que tinha acontecido e acrescentou: "Imaginem nossos soldados voltando para casa com o rabo entre as pernas, por causa de uma garoa. Depois de tanto esforço e superação, eles tinham o direito de sentir-se testados, protagonistas de um feito, de ver de perto o presidente e de terem o que contar em casa."

Foi nossa vez de sentir orgulho do comandante.

Ao final do ano de 1974, encaminhamos requerimentos para matrícula em cursos de especialização: Terra Amaral para Educação Física, Mauro Pinto para Paraquedismo e eu para Guerra na Selva. O comandante nos reuniu dizendo: "Estão com pouco tempo de unidade; no próximo ano eu encaminharei os requerimentos." Assim foi feito e, em 1976, todos nós seguimos para enfrentar os desafios, todos com sucesso.

Depois do comando, o coronel Brochado foi transferido para o Estado-Maior em Brasília, onde planejou uma profunda reformulação do sistema de instrução do Exército, no final da década de 1970 e início da década de 1980. Desde então, muita coisa evoluiu, mas os fundamentos continuam os mesmos por ele instituídos. Passou para a reserva e se radicou em Brasília, onde foi secretário de Segurança Pública e deputado federal.

A dona Cida é de Porto Alegre?

Não, é de Ijuí, uma cidade a 40 quilômetros de Cruz Alta. Formou-se em educação física na federal do Rio Grande do Sul, por coincidência, no mesmo dia que eu, na Aman, e foi trabalhar em Cruz Alta, onde eu, periodicamente, ia visitar meus parentes. Aí nos conhecemos e logo começamos a namorar. Noivamos em dezembro de 1975 e casamos um ano depois, já transferido para Natal.

Há um detalhe aqui, o qual peço que ninguém divulgue: Cida era miss Cruz Alta!

A família dela não era de militares?

Em sua família não há militares, absolutamente. São todos descendentes de alemães, colonos que se radicaram em Venâncio Aires. É realmente admirável a saga dessa gente. Ao chegar ao Brasil recebiam uma colônia de terra e alguns implementos, com o que tinham de tirar seu sustento, o que levava a famílias numerosas e à cultura do trabalho.

Como foi a entrada da dona Cida na vida militar, na família militar? Ela não tinha parente, não era filha de militar. O senhor a avisou que teria essa vida de transferências, de procurar colégio para filho...?

Avisei, mas ela adorava. Gostava de ser transferida e de conhecer coisas novas, até mais do que eu. Ela foi criada num ambiente rígido, de muito trabalho, desde pequena. Como era a mais velha, tinha de cozinhar para os irmãos. Sempre foi muito destemida, corajosa e disposta a enfrentar dificuldades. Durante a juventude foi atleta de bom desempenho das equipes juvenis gaúchas de vôlei e de atletismo. Quando chegamos a Natal, ela estava em plena forma e foi convidada a integrar o time de vôlei da cidade. Por isso acabou não trabalhando, até porque viajavam muito. Mais tarde, quando tentou trabalhar, fomos transferidos novamente e então ela desistiu. Eu diria que Cida foi sempre a esposa de militar perfeita, pois tinha uma participação muito ativa no ambiente militar. Me ajudou no meu trabalho e na minha carreira.

A essas mulheres especiais, quando no comando da EsAO [Escola de Aperfeiçoamento de Oficiais do Exército Brasileiro], assim me dirigi pelo dia internacional da mulher:

"Talvez em nenhuma profissão as esposas são levadas a exercer um papel tão importante para o ambiente social da instituição e para o rendimento profissional dos maridos.

São donas de casa que, por longos períodos, necessitam ser chefes de família, em razão dos afastamentos frequentes dos maridos. Que resignadamente, a cada três ou quatro anos, enfrentam as inexoráveis transferências, momentos em que, além da sensação de deixar para trás um pedaço da própria vida, experimentam o aperto no coração por ver, do portão de casa, junto aos filhos, tudo que possuem, material e afetivo, ser embarcado numa carroceria de caminhão, apegadas à esperança de recebê-los intactos, no destino, algumas semanas depois.

Nesses momentos, necessitam servir de suporte psicológico à família, procurando amenizar os reflexos sobre o desenvolvimento emocional dos filhos, atentas ainda aos eventuais prejuízos no rendimento escolar.

Surgem então as mestras da arte de estabelecer novos relacionamentos, de remontar e fazer funcionar os equipamentos domésticos, de gerenciar a economia da casa e de manter o contato com os parentes e amigos a distância, para que os filhos não deixem de desfrutar dos laços afetivos e não percam as raízes da terra natal.

Convivem em um ambiente em que a ascensão hierárquica dos maridos lhes exigirá a compreensão das peculiaridades, dos valores, das normas e das tradições que a envolvem, exigindo adaptabilidade e sabedoria para acompanhá-los em suas novas responsabilidades.

É em meio a essa teia conjuntural que as esposas de militares buscam, por sua vez, alcançar a realização própria, pessoal e profissional, corolário de um projeto de vida e consequência de uma trajetória de dedicação aos estudos e ao trabalho, muitas vezes interrompidos.

São essas abnegadas que, seguindo os maridos, são encontradas onde houver uma unidade do Exército, desde as grandes cidades até os pelotões especiais de fronteira, movidas tão somente pelo dom de servir, pela dedicação à família e pelo amor ao país."

Também o general Etchegoyen lindamente se expressou sobre elas, em uma alocução em homenagem aos generais recém-promovidos:

"Esposas: Quantas vezes foram flagradas vibrando em nossas simples, mas solenes formaturas, cantando nossas canções, bradando nossas saudações, incorporando por amor o entusiasmo típico dos soldados por vocação. Quanto conforto e solidariedade distribuíram, secundando-os em seus deveres de chefes, como verdadeiros anjos que, com doce coragem e suave determinação, dão vida e sentido ao que chamamos de família militar."

Em 1976 o senhor fez o Curso de Guerra na Selva e mais para o final do ano manifestou a vontade de servir numa unidade de fronteira.

No final de 1976, requeri fronteira e, ao mesmo tempo, recebi um convite para ser instrutor do CIGS (Centro de Instrução de Guerra na Selva). Para minha surpresa, fui transferido para o 16º Batalhão de Infantaria Motorizado (16º BIMtz), em Natal. Mais tarde, já como capitão, fiz outra tentativa, novamente infrutífera. Fiquei, para o resto da carreira, com um sentimento frustrante por não ter servido na fronteira.

Por quê? Porque gostou do curso do Cigs?[9]

Gostei muito, e a partir de então sempre sonhei em servir na Amazônia, o que só se realizou em 1998, quando fui nomeado para o comando do 1º BIS [Batalhão de Infantaria de Selva].

---

9. O Centro de Instrução de Guerra na Selva, criado em 1964, fica em Manaus.

De quantas semanas era o curso do Cigs?

Naquela época eram seis semanas, mais uma de adaptação e outra de encerramento. Hoje, são oito semanas.

E o senhor sobreviveu bem? Foi difícil?

Emagreci oito quilos e não fui tão bem no curso. Tive um incidente, numa determinada atividade, trinquei uma costela e cheguei a pensar em pedir desligamento. Os companheiros não permitiram. Por outro lado, me imaginei chegando de volta à minha unidade, encarando meus soldados e dizendo-lhes que eu não aguentei o curso. Apesar da dor, consegui chegar ao final. Entramos em 30 e terminamos em 16.

Nessa época, o espírito do "guerreiro de selva" já era muito forte? Ou veio a ficar mais tarde?

Estava começando a fortalecer-se. Cada comandante da Amazônia e do Centro de Instrução de Guerra na Selva, desde o coronel Teixeira, o fundador, foi consolidando e agregando novas místicas. Dois aspectos contribuíram para tal: a quantidade de guerreiros de selva espalhados pelo Brasil – praticamente em todas as guarnições se comemora o dia do guerreiro de selva – e também o renome consolidado internacionalmente. Hoje o Cigs é considerado a melhor escola de guerra na selva do mundo.

Meu padrinho, marechal Maggessi, foi comandante da Amazônia, a sede era em Belém.[10] *E ele dizia que foi para lá "desterrado", porque ti-*

---

10. Augusto da Cunha Magessi Pereira comandou a Amazônia de 10 de maio de 1960 a 20 de agosto de 1961. A sede do Comando Militar da Amazônia foi transferida de Belém para Manaus em 1969.

nha brigado com o ministro, que o transferiu para o pior lugar possível. Isso, em 1960. A Amazônia era um "desterro".

Naquela época, antes dos governos militares, a infraestrutura era mínima. Para se chegar aos pelotões de fronteira, a única maneira eram os aviões "Catalina", do tipo hidroavião. As pessoas chegavam e não tinham ideia de quando poderiam sair, mesmo que fosse para tratar de algum assunto de urgência. As comunicações eram precaríssimas. Não havia nenhum incentivo para os militares em geral se disporem a lá servir. A consequência foi que os militares da Amazônia, via de regra, eram desmotivados e despreparados, fato agravado pela circunstância de que as unidades eram mal estruturadas e insuficientemente dotadas de pessoal, equipamentos, armamento, viaturas e embarcações.

Essa situação começou a mudar quando, ao final da década de 1960, o comandante da época, general Rodrigo Otavio, transferiu o comando para Manaus. Iniciou-se assim um movimento de interiorização. Outras medidas importantes foram aos poucos sendo adotadas: uma política de pessoal, que criava incentivos para os que lá fossem servir; o curso do CIGS tornou-se prerrogativa dos que estivessem na Amazônia – diferente do meu curso, que estava em Porto Alegre e só fui aplicar os conhecimentos 20 anos mais tarde – e estabeleceu-se um prazo mínimo de permanência, mas, em compensação teriam prioridade para a escolhas de novos destinos.

Mais à frente, isso vai mudar. O senhor faz o curso em 1976. Depois, os cadetes da Aman, quando se formam, os primeiros escolhem ir para a Amazônia.

Tanto da Aman quanto nas escolas de sargentos, o que, aos poucos, foi promovendo a elevação dos padrões de comprometimento, de profissionalismo, de entusiasmo e, muito importante, a identificação com a região e a aquisição de uma visão acurada e de amplitude estratégica sobre os temas próprios da Amazônia.

5
Aprendendo a comandar

Hoje, comandar só com base na autoridade, você não comanda.

De Natal o senhor vai para a Aman, para ser instrutor.

Ao final de 1977, quando no 16º BIMtz, em Natal, fui convidado a servir como instrutor no Curso de Infantaria da Aman, um sonho acalentado silenciosamente.

Na capital potiguar, tivemos um ano feliz e de muitas realizações. Cida integrou o Centro Esportivo Feminino (CEF), principal equipe de voleibol do Rio Grande do Norte, que disputava campeonatos estaduais e regionais, o que nos permitiu adquirir um amplo círculo de relacionamentos entre a sociedade de Natal.

Certa vez, o marido de uma das diretoras do CEF convidou todo o grupo para passar um fim de semana em sua fazenda no município de Acari. Essa cidade, hoje com 11 mil habitantes, faz parte da Região do Seridó, a 200 quilômetros da capital. A população, alegre e hospitaleira, cultiva zelosamente a tradição de ser a cidade mais limpa do Brasil. As ruas, algumas de terra, estão sempre varridas. As casas são pintadas, todos os anos, com cores vivas, o que proporciona uma atmosfera bem alegre.

Lá tomei um susto e aprendi uma lição. Chegamos a Acari perto do meio-dia e fomos levados diretamente a um restaurante típico para saborear uma carne de sol. Num total de 20 pessoas, éramos apenas três homens, pois os demais maridos, por ser sábado, chegariam mais tarde. Ao final do almoço, o anfitrião pediu a conta, ao que, de pronto, o outro convidado, creio que um médico, emendou: "Vamos dividir por três!" Passado o susto, rapidamente fiz as contas e constatei que o que eu tinha mal daria para pagar a de Cida e a minha. Comecei imediatamente a elaborar estratégias para enfrentar a situação. Clausewitz não me inspirou e, quando, já estava apelando a Sun Tzu, o dono da festa fez um gesto enérgico ao garçom e, para meu profundo alívio, o problema foi solucionado. Lembrei-me imediatamente de minha mãe: "Não te mete de pato a ganso", ou seja, um tenente de infantaria não tem nada que "se enturmar" com fazendeiros e médicos. O resto do fim de semana foi maravilhoso, com a particularidade de que, se eu tivesse aceitado todas as doses de cachaça que me ofereceram, teria saído de lá em coma alcoólico.

O 16º BIMtz era uma unidade com amplo, sólido e bem localizado aquartelamento, completo nas dotações de pessoal e material e com bons acessos a campos de instrução. No desempenho da função de S/1 (oficial de pessoal) durante aquele ano, desfrutei do caloroso ambiente de camaradagem e apreciei a disciplina, a dedicação, a tenacidade e a lealdade absoluta dos militares nordestinos, além de me deliciar com sotaque e o palavreado peculiar.

Lavávamos nossos uniformes com dona Maria, muito avançada na idade e bem magrinha. Duas vezes por semana, vinha ela equilibrando, com muita naturalidade, trouxas descomunais sobre a cabeça. Quando a via, saudava-a com um "Oh, dona Maria, como vai a senhora?". Ela sempre respondia, com uma sabedoria simples e profunda: "Tô aqui, mais velha que ontem."

Minha estada no 16º BIMtz encerrou-se magnificamente com as manobras de final de ano de instrução da 4ª Divisão de Exército. Foram planejadas por um militar muito capaz e pitoresco, coronel José Luis, um nordestino típico, profundo conhecedor do Nordeste e com uma peculiaridade: não tinha a mão esquerda. Apoiava o toco do braço no estojo do cantil, que nunca usava. Diziam que perdera o braço durante uma instrução de granadas, dentro de uma sala de aula. Ele teria retirado o pino de segurança, e o capacete da granada teria escapado de sua mão. Como a sala estava lotada, ele imediatamente correu para uma janela e, colocando o braço para fora, aguardou a explosão. Alguns anos mais tarde, servimos juntos na 6ª Região Militar em Salvador, onde nos tornamos amigos. Até hoje, me pergunto por que nunca lhe pedi para que me contasse essa história.

Retornando à manobra, para o nosso batalhão ela se iniciou num transporte marítimo de Natal a Recife, com duração de 24 horas. Viajamos no navio desembarque de carros de combate Duque de Caxias. Todas as viaturas do batalhão foram embarcadas por guindaste no vão central e nas cobertas. A tropa era instalada nas laterais, em beliches que tinham o espaço de uma gaveta. O Duque de Caxias tinha a particularidade de ter o fundo chato para poder abicar na praia, por isso jogava muito na transversal. Creio que, com meia hora de mar aberto, todo o batalhão já havia mareado, a despeito dos medicamentos que distribuímos. Eu próprio consegui não vomitar, mas tive muito enjoo e uma terrível dor de cabeça. Como oficial de pessoal, era responsável pelo moral da tropa e pela supervisão de algumas rotinas, obrigado a percorrer as instalações que ocupávamos. Esforço terrível para transmitir o que não tinha. Tudo estava tomado de vômito e o cheiro era indescritível. Ainda bem que não fui para a Marinha, e considero nossos irmãos de branco como verdadeiros heróis. Agora entendo por que, nos filmes, os infantes preferem enfrentar uma divisão blindada inimiga na praia do que permanecer a bordo. O grande ensinamento que se tirou foi o de que as rotinas de bordo são completamente diferentes das nossas, tanto no quartel quanto em campanha. Por exemplo, as guarnições de serviço devem ser substituídas de seis em seis horas e permanecer cumprindo suas missões durante todo esse tempo, principalmente as faxinas, com ênfase nos banheiros.

Após chegarmos a Recife, passamos 24 horas na faina (expressão de Marinha) de desembarcar e preparar o material para a marcha motorizada que nos levou ao sertão de Pernambuco, por dez dias, terminando em Paulo Afonso. Foi uma excelente oportunidade para experimentar as peculiaridades da caatinga, muito mais difícil que os outros ambientes operacionais, inclusive a selva. A partir das dez horas, o calor é inclemente, não há nenhum refúgio para o sol e você já terá consumido um cantil completo. Foi essa outra marcante experiência que tivemos naquela manobra. Antes de se internar na caatinga, é imprescindível que a tropa seja submetida a uma intensa aclimatação. Se forem unidades do Centro-Sul, até mesmo um adestramento cultural será necessário, para não ferir suscetibilidades na população.

Em relação à Aman, recebi o convite no final de 1977, e lá servi por quatro anos. No primeiro, fui comandante de um pelotão de cadetes do quarto ano de infantaria. Servir na Aman, como tenente, é uma das experiências mais gratificantes que um oficial possa experimentar, embora traga consigo um desafio. Eu era apenas um pouco mais velho do que aquele grupo de rapazes e, além de lhes ensinar a parte técnica militar, tinha a responsabilidade de transmitir as experiências que trazia da tropa e, um pouco, da vida. Em contrapartida, traz um ganho profissional que vai nos acompanhar para sempre e vem da necessidade de elaborar mensagens sobre atributos e valores, que acabam desenvolvendo em nós anticorpos contra o desânimo e a falta de profissionalismo. Outro fator fundamental é que, diante da maturidade, inteligência e já alguma cultura acumulada pelos cadetes, só há uma ferramenta básica a empregar: o exemplo. Exemplo em todas as circunstâncias: na vida civil e militar, nas rotinas acadêmicas bem como nos exercícios e operações. Com muitos deles, vim a servir posteriormente e nos tornamos amigos. Com eles, ainda, compartilhei o posto de capitão por três ou quatro anos. Já estão todos na reserva. Tenho grande satisfação, até hoje, de chamá-los de "meus cadetes". "Na Aman, a gente respira esperança", assim se expressou o desembargador Reis Friede, ao visitar a academia.

Em 1979, fui designado auxiliar do oficial de operações e planejamento, o que me permitiu desenvolver uma visão bem ampla do curso como um todo, pois era encarregado de planejar todo o ano de instrução e também de administrar todos os meios didáticos. Cumulativamente, fui designado oficial de comunicações do curso e encarregado de ministrar as instruções dessa matéria.

Nesses dois anos, tive o então major Ariel como comandante e uma equipe de capitães mais antigos que cumpriam o papel importante de nos orientar e transmitir suas experiências. Ademais, ao retornar à Aman, reencontrei um grupo bem numeroso de companheiros de turma, também como instrutores.

Em 1980, já capitão, fui designado para o comando do terceiro ano de infantaria, que sairiam aspirantes em 1981. Nesse ano, tive ainda a alegria de reencontrar, no comando do curso, o já major Alberto Mendes Cardoso.

Creio que é no posto de capitão que se exercem as funções mais importantes da Aman. A ele cabe orientar os tenentes e exercerem o papel de tutores dos cadetes. Enquanto os tenentes estão sobrecarregados pelas atividades de preparar e ministrar instruções, os capitães dispõem de mais tempo para estar junto aos cadetes e, em consequência, transmitir com mais profundidade lições de vida e experiências profissionais. O capitão torna-se um irmão mais velho e, eventualmente, quase um pai. É desnecessário dizer que aí se forjam fortes e duradouros laços de camaradagem. Com os cadetes das turmas de 1978 e de 1981, tive a satisfação de ter ombreado alguns deles no Alto-Comando do Exército durante meu período à frente da Força.

No final desse ano (1980) imaginei que seria transferido para a fronteira na Amazônia, conforme já relatei. Contudo tive minha nomeação prorrogada por mais um quarto ano. Fui movimentado internamente para o comando do corpo de cadetes, na função de oficial de logística (S/4). Novos desafios: o Exército vivia um período de sérias restrições orçamentárias, e a Aman, por trás daquela estrutura imponente, não ficou imune àquela conjuntura. Semanalmente, capitão Lucas (meu adjunto) e eu fazíamos um enorme esforço para reunir meios – viaturas, combustível, rações e munições – para que os cadetes contassem com os recursos necessários ao adestramento. Passávamos o pires, internamente, em todos os órgãos da Aman, e, fora dela, em todas as unidades próximas.

Que período feliz foram aqueles quatros anos. Ademais, nessa temporada, nasceram nossos dois filhos mais velhos.

O senhor vai para a EsAO fazer o curso de aperfeiçoamento em 1982.

Foi o ano da Guerra das Malvinas, que acompanhávamos atentamente. Viria a ser muito útil, pois, mais tarde, na Escola de Estado-Maior, meu trabalho de conclusão de curso girou em torno desse tema.

A Escola de Aperfeiçoamento de Oficiais (EsAO), criada no tempo da Missão Francesa, é considerada por muitos como a melhor escola do Exército. Desfruta-se de um ano morando em um aglomerado de prédios, próximo a seus companheiros de turma novamente reunidos, intensificando as amizades entre as famílias e a camaradagem nas intensas atividades de instrução. As matérias, ministradas por excelentes instrutores com muita intensidade, alternavam teoria e prática, proporcionando o perfeito domínio de ambas.

Quando nos casamos, fiz um trato com a Cida de que, ao final dos cursos, caberia a ela escolher o próximo destino, dentro, logicamente, de um universo por mim selecionado. Ao final da EsAO, minhas prioridades eram, finalmente, ir para a selva ou para a Centro-Oeste. Sua escolha, sábia por sinal, recaiu sobre João Pessoa, onde passamos o ano de 1983.

Por que João Pessoa?

João Pessoa foi, de todas as cidades em que vivemos, aquela de que mais gostamos. Menos turística que as demais capitais do Nordeste, guarda um ar provinciano, com praias igualmente lindas e pacatas. Fui servir no 15º BIMtz [Batalhão de Infantaria Motorizado], subordinado à 7ª Bda Inf Mtz [Brigada de Infantaria Motorizada], de Natal.

O batalhão possuía forte espírito de corpo, boas instalações, um alegre ambiente entre os oficiais e, novamente, contava com os valentes sargentos, cabos e soldados nordestinos. Comandava-o o coronel José Alberto Neves Tavares da Silva, maranhense de pouca estatura, brabo e muito amigo. A vila militar, muito aprazível e bem localizada, era um paraíso para a gurizada.

Ao chegar com a família numa Marajó abarrotada, alojei-me na casa de hóspedes, vizinha à do comandante. Sábado, ele nos convidou para ir à praia. Ticiana e Marcelo tinham 5 e 4 anos respectivamente. Não sei o que lhes deu naquele dia, que, nem bem saíram do carro, se engalfinharam numa briga, daquelas que se vê em desenhos animados, pareciam girar no ar, braços e pernas para todos os lados, espalhando areia sobre o coronel e a esposa. Eu, morrendo de vergonha, e ele, às gargalhadas: "Toda criança é igual", dizia sem se conter.

Antes mesmo de chegar a João Pessoa, experimentei a brabeza do comandante, coincidindo com a única vez em que meu pai tentou me ajudar. Como dizia minha mãe: "Quis fazer um beija-flor, mas fez um urubu."

O curso da EsAO terminou em 25 de novembro, e a escola não deu férias para ninguém, nos desligando e colocando de imediato em trânsito (30 dias), o que significava que eu deveria me apresentar no batalhão exatamente no dia de Natal e iniciar um período de férias ainda não gozadas, o que eu pretendia fazer em Brasília. Para meu maior dilema, toda família – de perto e de longe – iria reunir-se para as festas na casa de meus pais. Embora consciente de que a apresentação era obrigatória, passou pela minha cabeça, ainda no Rio, ligar para o comandante, explicar-lhe a situação e pedir que me dispensasse de ir a João Pessoa. Relutei durante três dias, enquanto via vários companheiros ligarem para suas futuras unidades e obterem a autorização.

Liguei!

Levei a maior carraspana da minha vida: "Não autorizo. Se você quiser, apresente-se aí em Brasília e obtenha a autorização que você quer!" Sem alternativa, liguei para meu pai em Brasília e pedi que ele verificasse se havia algum voo da FAB para o Nordeste naquele período. Meu pai teve a "genial ideia" de pedir a um amigo, então chefe do Estado-Maior do CMNE [Comando Militar do Nordeste]. Esse assegurou que "falando com o Tavares" eu nem precisaria ir a João Pessoa. Falou, e a resposta foi: "Diga a esse filhinho de papai que não o dispenso da apresentação!"

Quando cheguei, os amigos me avisaram que ele só se referia a mim como "o filhinho de papai". Expliquei-lhe todo o imbróglio e, rapidamente, me tornei seu oficial de confiança, e somos amigos até hoje.

No final daquele ano (1983), fui novamente convidado para o Curso de Infantaria da Aman, lamentando deixar João Pessoa com apenas um ano.

Retornamos a Resende no início de 1984, para desfrutar mais dois anos de felicidades, que incluíram o nascimento de nossa filha mais nova, Adriana, completando o trio resendense.

E que função o senhor foi exercer na Aman?

Fui, de imediato, designado para o cargo de coordenador de instrução do quarto ano de infantaria. As principais tarefas se constituíam em planejar detalhadamente as ações anuais, supervisionar a elaboração e a correção de provas, além de ser encarregado de parcela importante da carga horária de matérias a serem ministradas, predominantemente o emprego tático de infantaria. Por meio desse assunto, ensinávamos os futuros oficiais a empregar uma companhia de infantaria em todos os tipos de operações e em qualquer terreno. Essa matéria proporcionava uma visão tática ampla, além de prepará-los para, mais tarde, compreender o emprego de batalhões na EsAO, ou de brigadas na Eceme.

Meu local de trabalho ficava no pavilhão de comando do Parque da Arma, sala que dividia com os coordenadores do segundo e terceiro anos, capitães Walter Justos e Walter Romão Filho, num ambiente bem-humorado, alegre e profissional. Nossa sala era vizinha à do comandante do curso.

O coronel Costa Filho era um sergipano "arretado", com sotaque bem marcado, inteligente, sempre com uma resposta pronta, exigente e bem-humorado por trás de uma cara enfarruscada. Romão tinha muita liberdade com ele, pois haviam servido juntos anteriormente.

Diariamente, o comandante cumpria, junto com os comandantes de companhia e pelotão, as rotinas do conjunto principal – alvorada, desjejum e formatura, enquanto íamos diretamente para o parque. Mais tarde, chegava ele: "Estão trabalhando?"

Sentava-se junto à mesa de reunião, abria a japona, acendia um cigarro e passava a contar com detalhes as "últimas". Depois de um tempo, respondíamos por monossílabos, até que Romão, impaciente reclamava: "Coronel, o senhor não tem o que fazer? Nós não estamos conseguindo trabalhar!" Ele saía resmungando: "Vocês são muito incompetentes!"

Era muito criterioso na escolha dos novos instrutores. Sempre que possível, no ano anterior ao da nomeação, ele os chamava para conversar. Quando terminava, entrava em nossa sala dizendo: "Gostei desse rapaz!" Lá vinha o Romão: "Como o senhor sabe? Só o senhor falou!?"

Sua revanche vinha, quando indicávamos alguém, discorrendo um rosário de qualidades sobre o oficial: "Não, ele é melhor do que eu. Vai dar problema!"

Infelizmente, um câncer o levou alguns anos mais tarde.

Em novembro, ele me designou para, no ano seguinte, comandar o quarto ano de infantaria, proporcionando-me mais um ano de realizações por trabalhar com um universo tão rico em energia, profissionalismo, juventude, dedicação e entusiasmo. Com eles, estabeleci uma relação especial e com satisfação os vi chegar a generais de divisão.

O Curso de Infantaria, aquartelado no Parque da Infantaria, a exemplo de todos os demais cursos, abarca o pavilhão de comando, salas de aula, anfiteatro, reservas de material e de armamentos, um pequeno campo de "peladas", tapiri de instrução, caixão de areia, sala de meios de instrução, equipamentos audiovisuais, garagens, oficinas, museu da arma e outros, conforme suas peculiaridades, tudo às margens do rio Alambari.

Esse pequeno curso d'água serpenteia por todo o enorme campo de instrução da Aman que, por sua vez, vai da via Dutra aos contrafortes da serra da Mantiqueira, onde se destacam as Agulhas Negras. Está sempre presente e, com frequência, somos obrigados a atravessar suas águas, agradáveis no verão e geladas no inverno, vindas do alto da serra. Há outros acidentes naturais que frequentemente utilizávamos: os rios Pirapitinga e Paraíba do Sul, esse para grandes operações de transposição, sempre com o protagonismo da engenharia, a represa do Funil, a pedra da Galinha Choca e mais uma numerosa variedade deles. O campo de instrução engloba áreas adequadas ao emprego e tiro de todos os sistemas operacionais: infantaria, veículos blindados, inclusive carros de combate (tanques), morteiros e obuseiros de todos os calibres, equipamentos pesados de engenharia, material sofisticado de comando e controle (comunicações), sistemas de logística, helicópteros, operações especiais, estande de tiro automatizado, tudo também utilizado por unidades de fora.

Cada um dos acidentes geográficos cumpre uma função relevante para as instruções, bem como para a identidade dos cadetes e da própria Aman. O maciço das Agulhas Negras emprestou seu nome à própria escola e o rio Alambari nomeia o jornal informativo diário que circula pela cidade acadêmica.

A "cidade acadêmica" não representa uma metáfora, pois abriga 10 mil pessoas, entre oficiais, cadetes, praças e funcionários civis, além dos serviços necessários para o suporte à vida diária: água e saneamento, oficinas, gráfica, serviço de polícia, correios, cinema, alimentação diária, mercado, alfaiataria, amplo parque esportivo, lanchonete (lancheria para os gaúchos), parque hípico e mais alguns também essenciais.

Nos quatro intensos anos a que os cadetes são submetidos, mesclam-se extenuantes operações, em que se procura criar o que chamamos de imitação da realidade, com o ensino universitário, por meio do qual estabelecemos as bases do edifício cultural que respaldará o exercício da liderança no futuro, quando vierem a exercer funções em níveis mais elevados.

O ambiente físico e a natureza das ações didáticas impostas aos cadetes produzem um efeito essencial, comum a todas as escolas militares: criar competências técnicas, incutir os valores da profissão e forjar os comprometimentos essenciais ao exercício da carreira militar.

Esses comprometimentos, numa simplificação, estabelecem-se em três níveis.

Lealdade para com os companheiros, transformados em camaradas. A camaradagem, que pode ser descrita como "tratar como amigo alguém que não se conhece" ou empenhar-se em solucionar problemas de um subordinado como se fosse um parente próximo. O general Cardoso costuma dizer que camaradagem é tão importante que deveria constar da Constituição Federal.

Seguem-se, num segundo patamar, os comprometimentos para com a instituição Exército. Vem deles a disposição de voluntariamente submeter-se às peculiaridades da vida militar: além da disponibilidade permanente e da proibição de sindicalização, ausência de direitos gerais inerentes a outras categorias, tais como limite de horas trabalhadas, adicional de periculosidade, direito a greves e adicional noturno. Essas prerrogativas não são almejadas pelos militares, pois sabem que elas nos descaracterizariam. Afinal, como aplicá-las à tripulação de um navio numa missão de vários dias para chegar ao Oriente Médio? Igualmente, o que fazer com os guerreiros de selva, a postos nos pelotões especiais de fronteira, por meses a fio? Finalmente, como interromper os voos da FAB pela Amazônia ou para a Antártica?

Além dessas questões que afetam os militares e suas famílias, há outra mais séria de feitio institucional. O país deixaria de contar com uma ferramenta para ser empregada em quaisquer condições, tanto para defendê-lo como para atender a emergências ou a necessidades básicas da população. Hodiernamente, não há problemas no território que as Forças não possam ou não devam solucionar. Afinal, quem iria apagar incêndios na Amazônia ou recolher óleo nas praias? Mais contundente, como exemplo, foi o emprego das Forças durante os Jogos Olímpicos, cada soldado percebendo R$ 30,00 a título de diária, enquanto as forças policiais recebiam R$ 540,00? Num terceiro patamar, vêm os comprometimentos endereçados aos valores da profissão militar. Tão importantes, que alguns constam da Constituição Federal, em seu artigo 142. Em geral, esses valores têm como escopo dois aspectos essenciais. Em primeiro lugar, mantê-las (as Forças Armadas) subordinadas ao Estado. Em segundo, mas igualmente importante, é assegurar a coesão, ou seja, mantê-las como um bloco monolítico.

Por essa razão, "disciplina" merece algumas considerações. Esse atributo, numa abordagem simplificada, cumpre um duplo papel. Garantir a coesão: a história, desde a Antiguidade, mostra que, sempre que uma instituição armada permitiu fissuras, verticais ou horizontais, em sua estrutura, o reflexo imediato foi o de trazer desgraça para si própria ou para a sociedade a que serve. O outro papel é o de manter a violência sob controle. Tropa violenta, via de regra, é indisciplinada, pois a truculência é como um fluido que, se derramado do vaso que o contém, torna-se dificílimo recuperá-lo. A disciplina corresponde ao manto de princípios filosóficos que revestem as artes marciais, para evitar que os praticantes se tornem uma ameaça para a população.

A Aman, portanto, é o ventre de onde brotam tantas virtudes. Para entendê-la, é indispensável recorrer ao livro *A força de um ideal*, biografia do marechal José Pessoa, editado pela BIBLIEx [Biblioteca do Exército]. José Pessoa comandou um pelotão de carros de combate francês durante a I Guerra Mundial. Voltou ao Brasil e, no prosseguimento da carreira, foi nomeado comandante da Escola Militar do Realengo, sucessora da escola da Praia Vermelha. Em ambas, era comum os alunos se verem contaminados pela política da capital, o que resultou em vários episódios de indisciplina individual ou coletiva.

Na Praia Vermelha, em plena efervescência republicana, estimulada pelo tenente-coronel professor Benjamin Constant, os cadetes haviam programado uma manifestação. Preventivamente, o ministro da Guerra fez uma visita à escola. Quando passava em revista o Batalhão Escolar, o aluno Euclides da Cunha jogou o fuzil ao solo, como um ato de protesto. Imediatamente foi recolhido e desligado. Seria anistiado e reintegrado após a proclamação. No Realengo, os cadetes aderiram à revolta contra a vacina obrigatória.

José Pessoa idealizou transferir a escola para um local distante do burburinho político da capital. A mão do acaso fez sua parte. Uma das viaturas do comboio sofreu uma pane na altura de onde é hoje o campo de paradas da academia. Estava escolhido o local. Consequência fundamental dessa visão do marechal está em que, desde que as gerações formadas nas Agulhas Negras chegaram aos altos postos da Força, nunca mais integrantes do Exército apontaram armas uns aos outros.

Certa vez, li um texto que evidencia o significado da Aman para os oficiais, independentemente da idade. Não recordo o nome do autor e vou tentar reproduzir livremente o que ele expressa: " Ao longo da carreira, nos momentos de dificuldade ou desânimo, em que senti a ameaça de ver esmorecer o entusiasmo, foi para a academia que levei meu espírito e o fiz contemplar as Agulhas Negras, percorrer o campo de instrução, Membeca, Aleia Real, Boa Esperança, Barragem, o Alambari, Cancela Vermelha e o conjunto principal, com suas salas de aula, alojamentos, cinema, auditório e o pátio de formaturas, de onde diariamente os cadetes leem a frase em bronze aposta sobre a entrada do refeitório: CADETE! IDES COMANDAR, APRENDEI A OBEDECER!"

Peço desculpas ao autor desse texto, por tê-lo transcrito sem guardar fidelidade ao original por não citar a fonte. De qualquer forma, faço-o como uma homenagem.

Ao final de 1985, fui transferido para Brasília e classificado no Batalhão da Guarda Presidencial. Saí da Aman com um sentimento nostálgico de que dificilmente a ela voltaria.

6
Na Nova República

O governo Sarney foi um período muito conturbado.

Quando o senhor veio servir em Brasília, já era o governo Sarney. Nesse período em que o senhor está em Brasília, 1986, 1987, já tinha havido a transição. Foi época, também, do Plano Cruzado, de hiperinflação, de todas essas questões nos planos econômico e político. Como o senhor acompanhava esse momento, em que terminou o ciclo do regime militar e os civis voltaram ao centro do poder político? Qual era sua vivência, sua visão na época?

O país vivia um período de acentuada instabilidade. Sérias dificuldades na economia e demandas latentes de uma parcela da população, insatisfeita com a transição por considerá-la ainda incompleta, abalavam profundamente a popularidade do presidente Sarney. Como o povo estava tão seriamente afetado pela situação econômica, a opinião pública, incluindo a classe política, mesmo a de esquerda, manifestava-se muito mais contra as dificuldades materiais reinantes e por algumas demandas políticas do que contra as Forças Armadas. Há que se salientar que essa conjuntura favorável, vivida àquela época pelos militares, devemos à presença do ministro Leônidas Pires Gonçalves à frente do Ministério do Exército. Com muita autoridade, impediu que o revanchismo ganhasse força, o que só viria a acontecer posteriormente ao governo de Itamar Franco.

O presidente Sarney relata que, após a morte de Tancredo Neves, houve uma reunião para deliberar sobre como se processaria a nova sucessão. O deputado Ulisses Guimarães tentou impor sua posição que consistia na realização de um novo pleito. O ministro Leônidas posicionou-se no sentido de que, conforme a legislação vigente, o cargo de presidente caberia ao senador Sarney. Ato contínuo, voltou-se para ele e, prestando-lhe uma continência disse: "Boa noite, presidente." Com seu arbítrio, o fato estava consumado, o que assegurou uma transição sem percalços.

Brasília foi-se tornando um centro de manifestações, com organização e violência crescentes. Tal quadro estabelecia desafios aumentados para nossas unidades de polícia, escolta e guarda. Houve uma, especificamente, muito violenta, em que os manifestantes se reuniram junto à rodoviária do Centro e dali partiram em direção ao Congresso Nacional e ao Palácio do Planalto. O Batalhão da Guarda Presidencial (BGP) foi então acionado, concentrando-se nos fundos do palácio, onde permaneceu reunido pronto para ser empregado. A Polícia Militar do Distrito Federal vinha fazendo um excelente trabalho, recuando, ordenadamente em linha, pressionada pela turba, mas com total controle da situação. Quando a multidão passou pelas laterais do Congresso, avançamos para a praça dos Três Poderes. O piso da praça estava em obras. As pedras portuguesas haviam sido retiradas e amontoadas, e, nas mãos dos manifestantes, transformar-se-iam num inesgotável arsenal. Acionados, ocupamos posição, deixando as pedras e o palácio à nossa retaguarda. Daí assistimos à multidão se aproximando, sempre com a polícia interposta. Quando a PM bateu com as costas nos nossos soldados, vendo que não tinha mais espaço para retrair, passou a uma atitude ofensiva, empregando gás lacrimogêneo. Como não dispúnhamos de máscaras, tivemos uma enorme choradeira acompanhada de acessos de tosse. Nós, oficiais, enquanto chorávamos, percorríamos o dispositivo, instando os soldados a se manterem firmes nas posições. Felizmente a polícia teve êxito e passou a empurrar os manifestantes de volta à rodoviária. Novo problema! Era o local em que a PM havia estacionado suas viaturas, deixando-as, praticamente, sem segurança. O resultado foi a retaliação da turba, depredando e queimando todas elas.

Esse evento e muitos outros bem demonstram o clima vivido, internamente, em nossas unidades, dificilmente imaginado por quem as vê impecáveis, em uniforme de gala, nas formaturas e cerimônias.

Unidades como o BGP, 1º RCG [Regimento de Cavalaria de Guarda], BPEB [Batalhão de Polícia do Exército de Brasília] e 3º Esqd C Mec [Esquadrão de Cavalaria Mecanizado], muitas pessoas, inclusive militares, avaliam que, por serem de polícia, de escolta e guarda, não possuem espírito operacional. Ao contrário, essas organizações militares são muito aguerridas, além de possuírem um acentuado espírito de cumprimento de missão e de sacrifício. Todas as missões são reais, e não há margem para erro. Entram de serviço a cada 24 ou 48 horas. Nos intervalos, o tempo é utilizado para a manutenção do material, do armamento e dos uniformes de gala – lavar, engomar e passar –, além das atividades de reciclagem das instruções e a execução das missões de guarda de honra. Outro aspecto relevante repousa no patrimônio de tradições acumuladas. O BGP e o 1º RCG remontam às guerras da Independência e do Paraguai.

Ao chegar ao BGP, fui designado para o comando da 1ª Companhia de Infantaria de Guarda. O exercício de uma função de comando, via de regra, é a que proporciona maior realização para um militar. No BGP não foi diferente, mas seis meses depois tive de assumir a Seção de Operações. Era uma função extremamente dinâmica, pois detinha as tarefas de planejar e supervisionar as atividades das companhias e do batalhão como um todo.

No BGP, de 1986 a meados de 1987, tive outro grande comandante, o hoje general de divisão da reserva, Piero Ludovico Gobatto, um italianão de quase dois metros. Finamente educado, depositava muita confiança em sua equipe, a quem delegava as tarefas e dava espaço para iniciativas.

Coronel Gobatto foi mais um comandante a me aplicar uma lição de chefia e liderança. Ocorreu no início de 1987. Logo que incorporávamos os novos recrutas, cumpríamos uma programação de instruções muito concentradas. Era reduzido o período de que dispúnhamos para preparar os recrutas de forma que estivessem aptos a assumirem os encargos que nos cabiam, permitindo que as outras unidades pudessem licenciar seus contingentes e preparar a nova incorporação.

Uma das instruções mais críticas era o tiro de fuzil, imprescindível habilitação para quem vai cumprir serviços de guarda ou escolta. A guarnição de Brasília, embora numerosa, possui apenas um estande de tiro, chamado General Darcy Lázaro, que, embora amplo e moderno, tinha dificuldades para atender a toda a programação. Por essa razão, mandávamos duas companhias simultaneamente para cumprir uma jornada completa – manhã e tarde – cumprindo treinamento intensivo. Essas companhias, para ganhar tempo, deixavam de participar da formatura matinal.

Numa manhã, encerrada a formatura, para meu espanto, verifiquei que ambas as subunidades estavam no batalhão. Ao me inteirar sobre as razões, verifiquei que haviam sido chamadas de volta porque a faxina em suas áreas de responsabilidade estava deficiente. Nesse exato momento, vi o comandante no centro do pátio, despachando com alguém. Parti em sua direção e, à medida que me aproximava, mais o sangue me subia. Sem me apresentar, disse-lhe intempestivamente: "Assim não é possível, coronel! Estamos trocando o essencial pelo supérfluo! As duas companhias, que deveriam estar no estande de tiro, se encontram no quartel, para fazer faxina!" O Gobattão me olhou e certamente verificando que eu estava destemperado, disse, sem me dar importância: "Sabe que você tem razão?" Virou as costas e saiu. Eu fui diminuindo, enquanto a vergonha aumentava, pensando em como pude ser tão desrespeitoso e indisciplinado com um homem que, além de meu superior, era um poço de gentileza e educação. Certamente passou pela sua cabeça: "Não vou perder tempo com um capitãozinho destemperado, petulante e mal-educado." O tempo foi passando e nos tornamos grandes amigos. Eu me arrependo de nunca lhe ter pedido desculpas.

Em meados de 1987, o coronel Gobatto foi substituído pelo coronel Moraes que, exceto pela altura – o chamávamos de Moraizinho

– tinha características bem semelhantes ao antecessor. Era muito benquisto, desde o tempo da Aman, quando foi instrutor.

Aquele ano foi marcante, também, por ter logrado aprovação no concurso para a Eceme. Como já disse, organizamos um grupo de estudos, que incluía os capitães Sodré, então comandante do 3º Esqd C Mec; Marco Aurélio, que veio do Rio de Janeiro; e Dangui, vindo de Porto Alegre. Foram dois meses cumprindo uma programação intensa e rigorosa, além de desfrutarmos de uma convivência muito agradável, pois éramos amigos desde a Aman e EsAO. Por felicidade, passamos os quatro, o que nos permitiu manter a equipe intacta durante os dois anos de curso, no Rio de Janeiro.

Brasília me proporcionou ainda a oportunidade de estar, pela primeira vez, junto a meus pais, ele já na reserva e começando a ter sérios problemas de saúde.

O curso na Eceme já era de dois anos?

O curso da Eceme passou de três para dois anos em 1977. Mais tarde, em 1986, foi criado o Curso de Política, Estratégia e Alta Administração do Exército (CPEAEx). Esse curso se situava no mesmo nível dos congêneres da Marinha, da Aeronáutica e da Escola Superior de Guerra.

Lembro-me de que, quando meu pai cursava a Eceme – de 1959 a 1961 –, o soldo era recebido em dinheiro vivo dentro de um envelope. Sentavam-se os dois e então planejavam as despesas do mês. Minha mãe dizia que a lata de goiabada era marcada com o que se podia comer diariamente. Naquela época, galinha era mais cara do que carne de gado, ganhando o *status* de luxo de fim de semana. Carro, nem pensar. Meus pais relatavam que sempre o dinheiro foi muito contado, como eu acredito que teus pais também.[11] Sempre foi uma vida muito espartana, com dinheiro curto, mas muito feliz. A maior diversão, além de praia, era ir ao Maracanã, ver o Flamengo, time de meu pai.

---

11. Meu pai foi oficial do Exército, formado na turma de maio de 1954 na Aman.

Alguns dizem que o governo Sarney, nesse início da Nova República, era uma democracia tutelada pelo ministro do Exército, que foi quem garantiu a posse do presidente Sarney e tinha uma postura muito firme dentro do governo. O senhor tinha essa impressão do general Leônidas?

Eu conhecia relativamente bem o general Leônidas. Meu pai e ele, também de Cruz Alta, serviram juntos por algum tempo no 29º Grupo de Artilharia de Campanha Autopropulsado, na época 6º Regimento de Artilharia Montada. Era um homem altivo, muito determinado e firme em suas convicções. Eu era major, em sua época, e não tenho lembranças de que sua presença no governo chegasse ao nível de tutela política, até porque ele tinha grande respeito pelo presidente.

O certo, contudo, é que ele soube aproveitar a ocasião para implementar uma série de transformações no Exército. Criou a aviação e a guerra eletrônica, ampliou a Aman, preparando-a para o aumento dos efetivos previstos nos projetos estratégicos FT-90, FT-2000 e 2015, criou o CPEAEx, a Escola de Instrução Complementar, em Salvador, promoveu grandes modificações no regulamento de uniformes, muitas delas vigentes até nossos dias, e autorizou o ingresso das mulheres nas áreas técnicas. Hoje temos meninas cursando a Aman, prontas para serem declaradas aspirantes a oficiais em dezembro de 2021, todas apresentando um excelente desempenho. Estamos confiantes que se manterão nesse patamar quando chegarem à tropa.

Sobre o general Leônidas, dizem que, quando alguém, contrário às reformas, usava argumentos tais como "Não temos viaturas para todos e queremos comprar helicópteros" ou "Não temos rádios para todos e queremos implantar sistemas de guerra eletrônica", ele prontamente respondia: "Se não o fizermos, vamos continuar sem viaturas, sem rádios e também sem helicópteros e guerra eletrônica."

Eu entrevistei todos os ministros militares da Nova República e eles usavam recorrentemente essa expressão, revanchismo, como algo que existia.[12] *O senhor estava como major na Eceme com 37, 38 anos. O senhor sentia isso? Ou isso era uma coisa mais do generalato?*

Logicamente, as questões político-ideológicas diziam muito mais respeito aos escalões superiores. De nossa parte, não vivíamos alienados, pois a própria Eceme nos mantinha atualizados por meio de painéis, simpósios e outros eventos dessa natureza, os quais, invariavelmente, incluíam a presença de civis e de palestrantes que representavam todas as tendências do espectro político. Lembro-me do comparecimento de Roberto Freire, José Genoíno, Aldo Rebelo e muitos outros, numa demonstração evidente de total falta de preconceito de nossa parte. Essa orientação vem se acentuando e o sistema de ensino do Exército avança no estabelecimento de interfaces externas, inclusive no exterior, tanto com ambientes militares como civis. Ademais, o ritmo intenso da escola nos absorvia integralmente.

Mais dois aspectos merecem destaque na "escola do saber".

O primeiro, de caráter particular, refere-se ao estreitamento dos relacionamentos, pois a Praia Vermelha proporciona o reencontro dos amigos da Aman e EsAO com as famílias e os filhos, já crescidos, cujas amizades perduram para sempre. Eu próprio, como filho de militar, guardo essas experiências especiais. O Edifício Praia Vermelha, situado em frente ao bondinho do Pão de Açúcar, abriga 300 apartamentos em três blocos interligados, permitindo que, em poucos passos, estejamos nas casas uns dos outros.

Outro aspecto institucionalmente relevante, muito bem apontado pelo general Ruy Monarca da Silveira, está no fato de que a Eceme proporciona a passagem de um condicionamento cartesiano para

---

12. O resultado dessas entrevistas foi publicado no livro *Militares e política na Nova República*, organizado conjuntamente com Maria Celina D'Araujo e publicado em 2001 pela editora FGV.

uma mentalidade holística. O racionalismo e o método são necessários para quem rotineiramente enfrenta situações de crise e rapidamente deve interpretá-las, entendê-las e, em meio ao caos, vislumbrar as linhas de ação possíveis para a melhor solução. Nos escalões (níveis) mais baixos, o sargento comandante de grupo ou seção, o tenente comandante de pelotão e o capitão de companhia (equivalente a esquadrão na cavalaria e a bateria na artilharia) não possuem uma estrutura de Estado-Maior para assessorá-los, necessitando agir com precisão e rapidez, além de manter os superiores informados.

A partir dos escalões batalhão, brigada, divisão e acima, os comandantes ficam um pouco mais distantes em relação ao contexto, protagonistas, local, tempo, efeito pretendido e implicações estratégicas e políticas. Por isso, os comandantes dispõem de um Estado-Maior, a quem transmitem diretrizes iniciais, delegam as tarefas intermediárias para, ao final do processo, tomarem as decisões finais. Contudo, todo esse procedimento deve estar envolto pela preocupação com o que já denominamos "efeitos colaterais". Para tal, é necessária uma sensibilidade capaz de captar as particularidades e aplicá-las aos processos.

Infelizmente, um episódio recente elucida o que estamos tratando. Em Guadalupe, zona norte do Rio, um carro particular foi confundido por uma patrulha do Exército como sendo pertencente a traficantes. Indiscriminadamente e desobedecendo às regras de engajamento, dezenas de disparos foram realizados, causando a morte do motorista. Além dessa perda, tivemos o indiciamento dos militares com as consequências decorrentes para as vidas pessoais e a interrupção das carreiras.

Hoje vivemos um fenômeno que se convencionou chamar de "cabo estratégico". A onipresença da imprensa faz, às vezes, com que a atitude isolada de um cabo ou de um soldado seja estampada na primeira página de um jornal de grande circulação. Isso obriga a que os militares desenvolvam um elevado nível de sensibilidade, para perceber as nuanças de cada ocasião e as implicações para o resultado das operações.

Eu queria reconstituir a sua experiência na Eceme. O senhor, em 1988/1989, como major, com 36, 37 anos, estava ainda muito dentro da própria instituição? E além de o ensino ser puxado, ainda não tinha muita interação com o mundo civil?

A Eceme, de certa forma, proporcionava essa interação. Como disse, assistíamos a um desfile de personagens civis com origem em ambientes variados.

Ao final do curso, novamente, quem definiu o destino foi a Cida, que escolheu Salvador, embora eu preferisse o Centro-Oeste.

E por que Salvador?

Não sei. Acho que pela praia e por dispor de uma aprazível e bem localizada vila militar. Lá passamos dois anos, 1990 e 1991. Eu servia na 6ª Região Militar [RM], como oficial de operações. Trabalho intenso, porque, embora fosse uma região militar, ou seja, um órgão, predominantemente, logístico-administrativo, a 6ª RM abarcava responsabilidades operacionais semelhantes às de uma brigada por subordinar diretamente três batalhões de infantaria: o de Sergipe, o de Salvador e o de Feira de Santana, uma Companhia de Guardas e uma Bateria de Artilharia. Ao final, foram dois ótimos anos, e, mais uma vez, a família abandonou chorando.

Continuava o período de hiperinflação, de planos econômicos, de dureza de dinheiro. Era difícil a vida familiar?

Sim, afetando sobretudo as praças. Nas graduações de segundo-sargento a subtenente, eles convivem com demandas familiares semelhantes às dos oficiais. Para mitigar essa defasagem, os sucessivos comandos da Força se preocuparam em disponibilizar a estrutura de assistência social universalmente a todos: hotéis de trânsito, clubes, áreas de lazer, hospitais e colégios militares.

Quando o senhor está na Eceme acontece o episódio do então capitão Jair Bolsonaro na EsAO, por reclamação de baixos salários, e ele acabou saindo do Exército.[13]

É verdade. A questão do Bolsonaro na EsAO fez com que ele se tornasse mal visto na Força.

O general Leônidas, em particular, não gostou nem um pouco.

O general Leônidas jogou duro com ele. Era proibido de entrar nas unidades e não era benquisto pelo pessoal em geral, por ter ferido a disciplina. Afirmavam que ele não havia concluído a EsAO, o que não é verdade.

---

13. No texto "O salário está baixo", publicado na edição de *Veja* de 3 de setembro de 1986, seção "Ponto de Vista", o então capitão Bolsonaro escreveu: "Como capitão do Exército brasileiro, da ativa, sou obrigado pela minha consciência a confessar que a tropa vive uma situação crítica no que se refere a vencimentos." Também mencionou a "crise financeira que assola a massa dos oficiais e sargentos do Exército brasileiro". Como resultado, foi punido pelo ministro Leônidas, sendo preso por 15 dias por ter cometido uma "transgressão grave" por "ter ferido a ética, gerando clima de inquietação no âmbito da organização militar" e também "por ter sido indiscreto na abordagem de assuntos de caráter oficial". No ano seguinte, a edição de 25 de outubro de 1987 de *Veja* publicou a reportagem "Pôr bombas nos quartéis, um plano na EsAO", afirmando que Bolsonaro e outro militar tinham um plano de explodir bombas em unidades militares do Rio para demonstrar insatisfação com os salários e pressionar o comando. Bolsonaro desmentiu a matéria e negou que tivesse esse plano, mas nova matéria na mesma revista, de 4 de novembro, trouxe croquis que teriam sido feitos por ele, indicando onde a bomba seria explodida. Além disso, a jornalista Cássia Maria, autora das duas matérias, evocou testemunhas da conversa que teve na casa de Bolsonaro. Submetido a um conselho de justificação composto por três coronéis, em janeiro de 1988 Bolsonaro foi considerado culpado. Em junho de 1988, contudo, os ministros do Superior Tribunal Militar (STM), por nove votos a quatro consideraram Bolsonaro "não culpado" das acusações. Em seguida, ele candidatou-se com sucesso a vereador nas eleições municipais de 1988, passando para a reserva pouco depois. Um livro recente que investiga todo esse processo é *O cadete e o capitão: vida de Jair Bolsonaro no quartel*, do jornalista Luiz Maklouf Carvalho, publicado em 2019 pela editora Todavia.

Eu acho que ele não chegou a concluir, não.

Concluiu o ano letivo, o que constatei quando no comando da EsAO; ele me pediu para verificar o que constava a respeito. Depois de eleito presidente, solicitou que recebesse o diploma, o que foi feito em uma cerimônia simples.

Falaremos dele mais à frente.

Mais à frente.

Marco Pellegrini - Secretário Nacional da Pessoal com deficiência

Visita do Embaixador do Japão ao Quartel General do Exército

Visita da Ministra da Defesa Nacional da República da Guiné-Bissau ao Cmt Ex

Entrega da Síntese Histórica para Gen Ex Adhemar e Gen Ex Mayer

Conferência dos Comandantes dos Exércitos do Cone Sul

Cerimônia Militar de entrega de Viaturas Modernizadas ASTROS

Almoço com a reserva

Almoço com Cmt Exército Argentino

297ª Reunião do Alto Comando do Exército (RACE)

Coronel Nestor, Herói da FEB, então com 102 anos

Ao lado de um Bersaglieri e da Divisão Alpina na Itália

Coronel Silva Neto, Capitão Colombo e Capitão Marsico

Aniversário surpresa com Dep Sérgio Reis e Dep Bruna Furlan

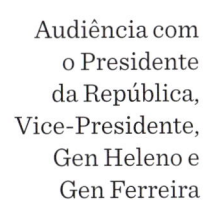

Audiência com o Presidente da República, Vice-Presidente, Gen Heleno e Gen Ferreira

Audiência Pública no Senado

Cmt do Exército Sul dos EUA

Cmt Ex Gen Leal Pujol, Gen Gleuber Vieira, Gen Albuquerque e Gen Enzo

Dra Virgínia e Dr Antonio Carlos

Audiência Sen Mara Gabrille

Comemoração da 300ª Reunião do Alto Comando do Exército (RACE)

Comitiva brasileira junto ao monumento italiano em homenagem a Força Expedicionária Brasileira - Monte Castelo

Dia Marinheiro

Ministro da Defesa Jacques Wagner e Gen Enzo

Despacho com o Presidente da República

Encerramento Curso Extensão Cultural da Mulher

Equipe do Gabinete do Comandante do Exército

Estado-Maior Pessoal

Filhos

George Agnew e esposa - meu derrancho na EsPCEx

Formatura Escola de Aperfeiçoamento de Oficiais 2015

General Nigri e Coronel Gilmar

Com irmão Hugo, cunhada Geni, e seus respectivos filhos e netos

Meu Adjunto de Comando Ten Crivelatti e segurança pessoal Ten Davis

Equipe da ONG Rompendo Mais Fronteiras realizando ACISO em Brasília

Inauguração Pátio das Batalhas no Quartel General do Exército

Passagem Comando do Comando Militar do Leste em 2015

Visita do Cmt Força Aérea da Índia

Passagem Chefia do Estado-Maior do Exército em 2015

Visita do Cmt Ex Canadá em 2015

Turma A-10 da EsPCEx - 1967

Assunção do Comando Exército

Visita a Força de Pacificação no Rio de Janeiro

Netos Gustavo, Guilherme e Henrique

Reunião com os Cmt Forças Armadas - Sentido anti-horário Min Defesa, Cmt MB, Gen Silva e Luna, Gen Fernando, Almirante Zalte Ademir e Cmt Aeronáutica

Tenente Tabaczeniski

Visita do Ministro da Defesa do Cabo Verde

Recebimento do Cargo de Cmt Ex

Transmissão do Cargo de Cmt Ex

Torre de Montese, cuja conquista houve o maior número de mortes da FEB

Casamento

Visita a Itatiaia

As netas Izabela e Ana Clara com Marcelo e Marcela

Cadete do 1º ano

Os pais, Hugo e Rodrigo

Entrega do espadim

Briefing para a Operação Mura

Entrega do facão de selva ao General Sá Rocha

Cerimonia de entrega do facão de selva

Visita do comandante do TRADOC EUA

Visita aos Pelotões Especiais de Fronteira

7
Na China

*Foram dois anos fantásticos,
de muita aprendizagem.*

Depois de Salvador, o senhor voltou mais uma vez para a Aman.

Surpreso, eu já tenente-coronel, recebi um convite para retornar à Aman, desta vez para comandar o Curso de Infantaria (C Inf). Gentileza do coronel Torres Marques, meu veterano e amigo que, logo depois, acabou vivendo um episódio trágico. Deixou comigo seu filho, como cadete do terceiro ano. Poucos dias depois de eu passar o comando do curso, o cadete faleceu em um acidente na Via Dutra.

Novamente, fui pego de surpresa, em maio de 1992, com apenas quatro meses à frente do curso. Numa sexta-feira à noite, estávamos reunidos repassando os últimos detalhes de um exercício a iniciar-se na semana seguinte. Tocou o telefone e alguém avisou: "O comandante do corpo de cadetes, coronel Goulart, quer falar com o senhor." Montei em minha bicicleta e, ruminando outros assuntos, lá fui eu para sua sala no velho conjunto principal. Ao entrar e me apresentar, ele me entregou um bilhete manuscrito pelo general-comandante: "Avise ao Villas Bôas que ele deve ser nomeado adjunto do adido militar na China."

Foi tão inusitado que a princípio não compreendi o teor. Cheguei a pensar que ele, muito espirituoso, estivesse brincando. Na terceira vez que duvidei, ele, perdendo a paciência, mandou-me ir falar com o general-comandante. Eu desconhecia que, há menos de quatro anos, tínhamos aberto aditância em Pequim, nem tampouco que abrigava um tenente-coronel em sua composição. Eu imaginava que, no futuro, poderia vir a ser designado para uma missão no exterior, mas cumprindo os requisitos até então vigentes: no posto de coronel e depois de ter comandado uma unidade, no meu caso, um batalhão. Novamente sobre a bicicleta, voltei para o curso, firmemente determinado a pedir que fosse dispensado da missão. Me doía deixar o comando do curso, pois considerava que não havia função mais nobre para um oficial de infantaria. Ao retornar e relatar aos oficiais, fiquei desconcertado diante da efusiva comemoração de todos. O coronel Goulart tinha uma máxima interessante: "Quem te irrita te domina. Úlcera neles!"

Outro problema: qual seria a reação em casa? Quando eu disse à Cida: "Nós estamos sendo mandados para a China", ela começou a pular e a gritar: "Maravilha, que maravilha! Eu sempre sonhei em conhecer a China! Viu só a força do pensamento positivo?" Quando eu disse: "Mas eu não vou", ela respondeu: "Eu vou nem que seja sozinha." No dia seguinte havia uma festa no círculo militar de Resende e notei que todos já sabiam, e, desde o comandante da Aman, creio que em conluio com a Cida, uma verdadeira romaria veio, em tom de brincadeira, me perguntar se eu estava bem da cabeça.

Me rendi!

E por que surgiu essa ideia de mandá-lo para a China? Quem lembrou do senhor para ir para lá?

O militar selecionado para missão no exterior é submetido a um processo bastante rigoroso. Inclui a análise comparativa do perfil profissional, com dois componentes – trabalho e relacionamento – mais a ficha de valorização do mérito e o domínio do idioma correspondente. Esses subsídios são permanentemente colhidos, registrados e processados, permanecendo disponíveis para quando necessário. O processo, como um todo, é bastante impessoal, até ser levado ao comandante do Exército em uma lista tríplice.

Os filhos gostaram também?

Também, e aproveitaram muito. Eu os matriculei num colégio chinês, em que havia um pavilhão para estrangeiros. Uma verdadeira babel, pois abrigava gente do mundo inteiro. Posteriormente, as duas meninas foram para o colégio paquistanês, em língua inglesa, com a particularidade de que, diariamente, cantavam o hino do Paquistão e rezavam em urdu.

A China, naquela época, ainda não era a potência global que é hoje; era um país ainda fechado.

Estava iniciando o processo de abertura e decolagem. Deng Xiaoping ainda estava vivo, mas quem ocupava o cargo de primeiro-ministro era Jiang Zemin. O muro de Berlim havia caído em 1989, mesmo ano dos incidentes na praça Tiananmen. Vivi na China de novembro de 1992 a novembro de 1994. Nosso PIB era superior ao deles, e é impressionante constatar o que foram capazes de realizar no espaço de uma geração. A meu ver esse processo foi alavancado pela visão de futuro, disciplina social, o interesse coletivo prevalecendo sobre o individual e o sentido de projeto, tanto global quanto setorial. Não voltei mais à China, mas quem o fez afirma que aquela que eu conheci deixou de existir. "Nenhuma potência consegue se afirmar sem uma ideologia definidora de sua posição no mundo", disse André Roberto Martin, geógrafo brasileiro. Talvez venha daí o que nos diferencia dos chineses.

Como foi a sua experiência na China?

Inesquecível, pessoal e profissionalmente. Convivi com uma equipe de diplomatas e corpo técnico muito seleta, impressionante pelo alto nível intelectual e cultural. Também desfrutei de uma convivência proveitosa com dois grandes embaixadores, Roberto Abdenur e João Augusto de Médicis.

A China, naquela época, era muito pacata, o que tornava a vida muito fácil. A violência era praticamente inexistente, exceto alguma malandragem. Os meninos se moviam livremente em suas bicicletas. Nenhum problema de abastecimento para qualquer prato típico nosso ou deles, ou seja: carne para churrasco, ingrediente para feijoada e também sapo, cobra e escorpião.

O Exército Popular de Libertação (EPL) contava com uma estrutura completa voltada para o relacionamento com estrangeiros. O Departamento de Relações Internacionais se subdividia em seções, voltadas para as diferentes sub-regiões do mundo, cada uma delas mobiliada por oficiais com domínio do idioma correspondente. Eram, embora gentis, muito herméticos, o que tornava impossível obter qualquer informação fora das vias burocráticas, bastante complexas e rigorosas.

Muito lindas foram as viagens por eles organizadas. Em 1993, percorremos a rota da seda até o deserto de Gobi, com início em Xian, onde vimos o Exército Terracota. No ano seguinte, em um barco de passageiros, subimos o rio Yang Tse até a represa Três Gargantas, ainda na fase inicial de terraplenagem.

Hoje, diante do pensamento que impera entre nós, dominado pelo politicamente correto, constato que aquela obra jamais seria levada a efeito no Brasil. Os chineses deslocaram mais de um milhão de pessoas e cerca de mil sítios arqueológicos. Gostemos ou não, foi assim procedendo que lograram fazer com que 800 milhões de pessoas ultrapassassem a linha da pobreza.

Com relação ao que nos impediu de alcançar o ritmo de desenvolvimento próximo ao deles, contou-me um amigo que um empresário chinês lhe disse: "Vocês no Brasil sofrem da maldição da abundância." Há outra diferença importante assinalada pelo presidente Sarney. Ele conta que, quando visitou o secretário-geral Deng Xiaoping, ouviu dele algo que nós ocidentais não sabemos: "O tempo existe."

8
Comandando um batalhão na Amazônia

Até hoje, não temos uma política para conduzir as questões da Amazônia.

Voltando da China, o senhor foi para Brasília, para o CoTer (Comando de Operações Terrestres).

No CoTer, permaneci por três anos na Seção de Atividades Especiais. Nesse ínterim, minha turma já estava sendo submetida ao processo de seleção para o comando. Em razão do estado de saúde do meu pai ter-se agravado, decidi permanecer em Brasília. Num ano optei pelo BGP, onde já havia servido e, no outro, pelo BPEB. Em ambas as vezes não fui contemplado. Meu pai faleceu e, no ano seguinte, senti que havia chegado a hora de finalmente ir para a selva. Escolhi o 1º Batalhão de Infantaria de Selva (1º BIS), o Batalhão Amazonas, sediado em Manaus.

"O melhor batalhão do mundo", como eles dizem.

É verdade, e o mais interessante é que os soldados acreditavam firmemente e isso se transformava num êmulo poderoso e importante para uma unidade tão exigida.

Logo depois da minha nomeação, num encontro fortuito, o ministro, general Zenildo, me perguntou por que eu não havia priorizado o Centro de Instrução de Guerra na Selva (Cigs). Na verdade, eu não me sentia com autoridade para comandar uma escola de selva que havia cursado 22 anos atrás.

Mais tarde, soube que os tenentes do BIS manifestavam a mesma preocupação quanto a mim. Tinham razão, por isso me dediquei a aprender sobre os mistérios da floresta com eles. E que equipe! Havia 12 representantes de quatro turmas sucessivas, todos colocados entre os primeiros da Aman. Em complemento, contava com capitães e dois majores em condições de liderá-los. Os sargentos eram, em sua maioria, do Centro-Sul. Entre eles, 17 tinham vindo diretamente da Escola de Sargentos das Armas (ESA), jovens e entusiasmados, capazes de transmitir uma energia contagiante. A unidade tinha, também, uma equipe numerosa de cabos estabilizados, com uma larga vivência e um profundo amor pelo 1º BIS. Tinham a selva como seu *habitat* natural, sempre prontos a cumprir qualquer missão. Aliás, tinha-se de ter cuidado ao transmitir uma missão, porque ela seria cumprida a qualquer custo. Por fim, todo o batalhão era mobiliado por soldados antigos de Manaus e das cidades próximas, excelentes guerreiros de selva. Assim era o Batalhão Amazonas.

Éramos subordinados à 1ª Brigada de Infantaria de Selva, sediada em Boa Vista, sob o comando do general Lima Verde, outra grande figura humana e amiga, a despeito de nossa onça mascote, a Cuca, tê-lo mordido na perna, logo na primeira visita que nos fez. Levou na esportiva, o que não diminuiu nosso constrangimento, até porque o episódio envolveu algumas nuanças. Quando o tratador se aproximou com a Cuca e nos posicionávamos para a foto, meu subcomandante, major Vaz, disse: "General, ela é tão mansa que nem sabe que é onça." A mordida foi na panturrilha, logo acima do cano do coturno, fazendo sangrar bastante. Levamos imediatamente o general para a enfermaria. Por sorte, contávamos com 40 rapazes e moças, médicos, dentistas e farmacêuticos, a maioria de fora da Amazônia, cursando o Estágio de Adaptação e Serviço (EAS), como preparação para ocupar cargos na fronteira.

Apareceu um paulistano, branquinho e imberbe, que examinou o ferimento, com ar muito grave, e proferiu o diagnóstico: "O ferimento é profundo, vamos ter de dar pontos!" Ato contínuo, raspou a perna e aplicou a anestesia no ferimento, com uma seringa e agulha enormes. O general se mantinha firme. O doutor, muito seguro de si, passou a aplicar os pontos e pareceu que a anestesia não havia surtido efeito, pois o general protestou. Seguiram-se a aplicação do curativo, de uma faixa, colocação das meias e dos coturnos. Júbilo, pois os procedimentos haviam terminado. O general se levantou, bateu com o pé, aceitou um copo d'água, cafezinho, conversamos um pouco e, quando nos despedimos, chega de volta o doutor, ainda mais branco e suado, e num sotaque bem paulistano, proferiu um diagnóstico diferente do primeiro: "General, general, eu conversei com meus colegas e eles disseram que em mordida de animais não se aplica ponto. Eu vou tirar os pontos da perna do senhor!" General Lima Verde me olhou resignado e eu não o deixei pensar: "Vamos lá general." Volta para a enfermaria, levanta a calça, tira o coturno, meia, retira as faixas, o curativo e, com uma tesoura, também enorme, diligentemente, foi retirando os pontos. Incontinente, refez o curativo, recolocou as faixas, vestiu a meia e finalmente o coturno. O paciente general rapidamente se levantou, bateu com o pé no chão, me deu um aperto de mão e rapidamente entrou no carro e partiu. Peço, uma vez mais, mil desculpas ao general Lima Verde, por essa inesquecível jornada que o "melhor do mundo" lhe proporcionou.

O 1º BIS ocupava uma posição central, equidistante dos pontos mais sensíveis da fronteira. Ademais, éramos vizinhos do Cigs, do 4º Batalhão de Aviação do Exército, comandado pelo lendário coronel Pavanelo, unidade que hoje leva seu nome, bem como do Centro de Embarcações da Amazônia. Com essas unidades nos adestrávamos rotineiramente. Eu dizia aos tenentes que lhes tinha muita inveja, pois viviam para baixo e para cima, com seus pelotões, em helicópteros ou embarcações, reforçando pelotões especiais de fronteira, destruindo garimpos ilegais, contactando comunidades indígenas para lhes disponibilizar apoio ou para combater desmatamento e outros ilícitos ambientais. Eles, hoje, são tenentes-coronéis e coronéis em fase de comando de unidades. Certamente farão comandos primorosos, tão grande é o cabedal de liderança acumulado em suas carreiras, as quais tenho acompanhado.

Em novembro de 1998, as FARC conquistaram a cidade de Mitú, capital do Departamento de Vaupés, na Colômbia, uma cidade pequena, de não mais que 30 mil habitantes, localizada a 30 quilômetros da nossa fronteira. O Exército colombiano montou uma operação para recuperar aquela cidade. Pediram ao Brasil para fazer evacuação aeromédica usando a pista de Querari. Na verdade, utilizaram-na para fazerem o transbordo das unidades que lá chegavam em aviões e embarcavam nos helicópteros, com os quais assaltavam Mitú. Como a solicitação se restringia ao socorro de feridos, acabou gerando alguma crise, logo superada.

Pouco tempo depois, começaram a circular informes no sentido de que as FARC planejavam atacar Querari em represália. Assaltou-nos uma vasta preocupação. O CMA, então, determinou que o batalhão deslocasse uma companhia para reforçar o pelotão. Estávamos numa sexta-feira e recebemos a ordem de acionamento por volta das sete horas da noite. Deveríamos estar com uma companhia na base aérea às sete horas da manhã em condições de embarcar. Imediatamente, acionamos o plano de chamada e passamos a monitorá-lo de hora em hora. Às 11 da noite, o subcomandante me avisou: "Temos um pelotão no batalhão", ou seja, entre 30 e 40 soldados. Uma companhia são 150. Estava sem compreender o que ocorria, pois treinávamos com frequência, sempre atingindo as metas. Foi então que alguém lembrou que no Bumbódromo havia ensaio de um dos bois, Garantido ou Caprichoso. Mandamos um oficial que, autorizado pela diretoria, interrompeu a bateria, a música e as coreografias e, debaixo de vaias, lançou a palavra-chave. Rapidamente, tínhamos o batalhão completo, e após cumprida uma verificação minuciosa do aprestamento, às sete horas, estávamos prontos para o embarque.

Na base aérea, a tropa aguardava pelo embarque, sentada no solo, encostada nas mochilas, silenciosa e transparecendo alguma tensão, natural, porque não tínhamos informações detalhadas a respeito da situação na fronteira. Os oficiais e sargentos faziam as últimas verificações, quando me assaltou o que se chama a "solidão do comando". Veio-me em forma de dúvida: qual seria o nosso desempenho numa situação real de combate? Eu tinha certeza de que estávamos adestrados, mas e a parte psicológica? Naquele tempo, não havia centro de avaliação do adestramento, na Amazônia, para certificar o funcionamento de nossos sistemas. O Exército brasileiro guarda consigo o orgulho de jamais ter sido derrotado. Eu sentia sobre meus ombros essa responsabilidade e o peso de ter sobre nós o olhar e a expectativa da Força e do Brasil inteiro. Nesse momento entendi a dinâmica do medo. Ele é muito maior em relação a um fracasso do que a ameaça à integridade física. Fui despertado desse devaneio pela ordem de embarque, e já os soldados haviam retomado a alegria habitual.

Se as FARC tinham realmente a intenção de realizar alguma ação retaliatória, é provável que a movimentação de tropas, helicópteros e aviões tenha exercido algum efeito dissuasório.

Logo em seguida, o CMA programou um exercício, na Cabeça do Cachorro, do que chamamos de operação presença. O 1º BIS permaneceu por duas semanas em Querari.

Lá havia um cabo estabilizado, com o nome de Eliseu. Era alto e magro, muito falante e envolvente como um bom carioca. Uma noite, após o jantar, observei um grupo numeroso de soldados do batalhão em torno do Eliseu. Os soldados, absortos, acompanhavam com olhos fixos a conversa do cabo. Aproximei-me silenciosamente, ainda em tempo de ouvi-lo dizer: "Aqui em Querari, por vezes, ocorrem tempestades com vento fortíssimo. Uma vez saí e liguei a lanterna. O vento era tão forte que entortou o facho de luz." A selva é o reino das mentiras, mas como essa nunca tinha escutado.

Orlando Villas-Bôas escreveu um livro delicioso, *O almanaque do sertão*, todo de histórias pitorescas vividas por ele na jornada até o Xingu. Há um capítulo só com mentiras contadas pelos mateiros e guias.

No Cigs havia um grande contador de mentiras, o sargento Correa, apelidado de Índio. Era remanescente dos "pioneiros" contemporâneos do coronel Jorge Teixeira, fundador do Cigs. O Índio contava que, numa noite, ele e mais alguns percorriam de jipe a estrada do Puraquecuara, no interior da área de instrução do Cigs. De repente, foram surpreendidos por um vulto enorme que passou rapidamente pela frente da viatura. Assustados, saltaram do veículo e deram muitos tiros na direção daquela coisa. No dia seguinte, voltaram para verificar do que se tratava. Encontraram um tatu tão grande que, levado para a base de instrução, taparam os buracos de bala, colocaram um motor do casco e hoje é usado para transportar material pelo rio.

Há dois outros ambientes no Exército que são também pródigos em produzir histórias pitorescas: as forças especiais e a cavalaria hipo.

Também muito folclóricas no Exército são as caricaturas que se produzem sobre os integrantes das armas. Esses estereótipos são universais. Por exemplo, aplicaram um teste de QI em um infante e em um cavalariano. O resultado foi muito semelhante, ambos apresentaram apenas traços de inteligência. Contudo o cavalariano leva uma grande vantagem: tem o cavalo para tirar dúvidas. Inclusive, dizem que os primeiros blindados eram muito grandes para que o cavalo coubesse dentro. Os artilheiros por sua vez são pessoas muito empertigadas, pedantes e compenetradas, que fazem cálculos complicadíssimos, atiram e matam as vacas; quando não, acertam a infantaria amiga. Já os logísticos costumam se esforçar ao mínimo, para que os demais tenham de se esforçar ao máximo. Na França, esses contos foram compilados, denominando-se: *Do anedotário militar francês*.

Quando o senhor está comandando o BIS, em 1999 e 2000, já tinham acontecido também mudanças doutrinárias. A "estratégia da resistência" já havia sido desenvolvida.[14]

O batalhão foi posto à prova novamente quando o CMA, sob o comando do general Lessa, determinou a realização de um exercício

---

14. Na década de 1990 o Exército desenvolveu a Estratégia da Resistência, concebida para uma guerra assimétrica, sobretudo na região amazônica. Ela seria a forma de se contrapor a um inimigo de poder militar muito superior que ameaçasse a soberania brasileira sobre a região. Na situação de resistência, o Exército combateria utilizando princípios da guerra irregular, valendo-se de técnicas e táticas semelhantes às guerrilhas, com características não convencionais.

de estratégia da resistência, desta vez em moldes totalmente diferentes do que até então vínhamos experimentando. Nos internamos na selva por dois meses.

Estávamos, em todo o CMA, acostumados com exercícios de curta duração, para testar os vários sistemas necessários para esse tipo de operação, totalmente diferente de situações convencionais. Nesse caso, nós passamos a agir como guerrilheiros. A população local cresce de importância. É fundamental que ela adira a nossa causa. Nela, estarão as lideranças, a estrutura de inteligência, a força de sustentação e, eventualmente, a força subterrânea. É por seu intermédio que operamos os sistemas logístico, de comando e controle, de informações, de saúde, infiltração e exfiltração de pessoal, informantes e guias. Mao Tsé-Tung dizia que o guerrilheiro se move entre a população como o peixe na água.

Em nenhuma oportunidade havia sido feita uma operação prolongada em que fossem postos à prova aspectos psicológicos, como o afastamento das famílias, atuação isolada por tempo indeterminado e eventuais problemas de saúde.

Acredito que a preparação mais importante que fizemos foi a relativa às esposas. Iniciamos com muita antecedência. Estruturamos grupos de apoio às famílias, sob a coordenação do oficial de comunicação social. Ele dispunha de vários meios que incluíam uma equipe de militares, viaturas, telefones e rádios. O mais importante, contudo, foi a participação das mulheres de oficiais e sargentos, sob a liderança da Cida. Eram promovidas reuniões semanais, para que todas se conhecessem, trocassem endereços, números de telefone e antecipassem possíveis embaraços, como alguma doença ou gravidez. Um complicador comum na Amazônia decorria da circunstância de que muitos soldados não eram casados, o que deixava as famílias sem nenhuma cobertura médica. Acredito que, sem essas providências, o exercício não teria se viabilizado.

Todas as dificuldades que imaginamos aconteceram, menos uma, a de uma senhora que ganhou meio porco em uma rifa e não tinha como transportar. Alguns percalços decorreram do fato de que uma grande quantidade de soldados não entregava os cartões de banco para as esposas, que se viam impedidas de receber o pagamento mensal.

Para garantir nossa permanência por tempo indefinido em combate, é imprescindível o pré-posicionamento de suprimentos em lugares clandestinos chamados cachês, normalmente enterrados. Essa ação foi minuciosamente planejada e executada. Foram localizados em círculos concêntricos, a uma jornada de marcha, minuciosamente registrados em cartas topográficas ou croquis. Com o apoio precioso da engenharia, os cachês iam desde o tamanho de uma lata de tinta até o de uma garagem subterrânea. Continham mantimentos, armas, munições, combustível, equipamentos, roupas, enfim, tudo o pudesse ser necessário à permanência em operações prolongadas.

Já fiz referência ao coronel Pavanelo, comandante do 4º Batalhão de Aviação do Exército (4º BAvEx). Lá pelo 20º dia de internação, ouvimos um ronco de helicóptero. Depois de certificar-me de que não havia nenhum apoio aéreo previsto, aproximei-me do local de aterragem. Quando o Pantera pousou, o mecânico de bordo correu em minha direção e entregou-me um envelope pardo. Aguardei a decolagem para, então, abrir o que imaginei ser um documento. Era uma revista *Playboy*.

Pavanelo passou seu comando duas semanas depois de mim, em janeiro de 2000, e viajou para o Rio Grande do Sul. Faleceu num acidente de automóvel na rodovia Régis Bittencourt. Pareceu uma peça do destino. Depois de seis anos de peripécias em aeronaves na Amazônia, acabou morrendo numa ultrapassagem. Fora nomeado adido militar na Polônia e sua ida ao Sul era para despedir-se da família.

E a internação do batalhão, funcionou?

Funcionou, até mesmo porque surgiram alguns problemas inesperados, o que nos obrigou a acionar sistemas que não críamos que seriam utilizados, a não ser como eventos simulados. Por sorte haviam sido planejados e testados. Um pelotão da 1ª Companhia passou a apresentar casos excessivos de malária e alguns de leishmaniose. Acionamos, então, por intermédio da força de sustentação, ou seja, da população, as ações de exfiltração e, a contrapartida, infiltração para recompletamento. Os meios utilizados revelam a sensibilidade da execução. Porão de ônibus, misturados a carga de caminhões, fundo de barcos, linhas regulares de ônibus ou de barcos de passageiros, colocando à prova nossas histórias de cobertura. Elas devem ser individualizadas, coerentes com o biotipo e o sotaque de cada um: trabalhador rural, integrante de empresas do governo, de saúde, educação, assistência técnica, enfim, não há limites para a imaginação do pessoal de inteligência.

A incidência desses casos que requeriam ação imediata foi aumentando. Como não dispúnhamos de um hospital, dentro da área de homizio, com capacidade de elaborar diagnósticos e aplicar o tratamento adequado, resolvemos retirar o pelotão por inteiro e interiorizar uma tropa fresca em outra área. Operação arriscada e complexa, mas rica em lições aprendidas. A primeira está em que nos reconhecimentos e no levantamento estratégico de área deve-se dar atenção especial às áreas endêmicas.

Em dois anos, "o melhor do mundo" foi duramente testado, colecionando muitas outras peripécias. A admiração, o respeito e o orgulho que eu dedicava a cada integrante, expressei por intermédio dessas palavras na alocução de despedida, quando da passagem de comando ao coronel Zairo, também cruz-altense, em janeiro de 2000:

"Nossos guerreiros de selva, cuja atuação testemunhei em situações variadas. Eu os vi diligentes em suas rotinas diárias, os vi zelosos cuidando dos quartéis e dos equipamentos, os vi garbosos, nas paradas e desfiles, expressando o orgulho próprio dos soldados de Caxias, os vi vigorosos superarem-se nos exercícios e treinamentos, os vi destemidos voarem nas asas de nossos helicópteros, os vi silentes navegarem em direção à fronteira, os vi embrenharem-se floresta adentro, de dia, de noite, sob sol e sob chuva, os vi rigorosos reprimirem o narcotráfico e os ilícitos, os vi solidários, ampararem os irmãos indígenas e as comunidades ribeirinhas, os vi levarem o alívio aos afligidos por calamidades, os vi apoiarem o desenvolvimento, os vi levarem o atendimento de saúde à nossa gente desassistida, os vi protegerem o meio ambiente. Contudo nunca, nunca os vi esmorecerem. Por isso, no silêncio de minha rede de selva, muitas vezes pedi a Deus que os protegesse e a Ele agradeci por tê-los como meus soldados."

O senhor teve dois anos de comando lá na Amazônia.

Dois anos no comando do 1º BIS, o que fez minha vida mudar. Pessoalmente, minha família se apegou a Manaus, adotando-a como terra natal. Por outro lado, meu nome ficou associado à Amazônia e, quando fui promovido a general de brigada, naturalmente fui classificado na selva, como chefe do Estado-Maior do CMA. A ida para Manaus delimitou minha carreira. Depois de uma parte voltada para a Aman, iniciei uma fase vinculada à selva. Ironicamente, passei a ser considerado um especialista no tema – terra de cego... Com certeza, ministrei, no Brasil todo, principalmente em universidades, mais de 500 palestras – até onde contabilizei. Em determinados ambientes, produziam-se muitas controvérsias entre a teoria acadêmica e o conhecimento da realidade.

Um capitão de lá me disse, semana retrasada, que é um batalhão "nervoso", que está sempre em atuação.

Por estar sediado em Manaus, embora subordinado à 1ª Bda Inf Sl [Brigada de Infantaria de Selva], de Boa Vista, era a unidade de pronto emprego que o CMA tinha à disposição para as emergências.

Os integrantes do batalhão, quando se despedem, recebem como lembrança um terçado engastado numa placa de madeira, com os dizeres, que bem caracterizam o espírito das unidades de selva. "As amizades forjadas nas agruras da selva jamais fenecem."

Quem comandava o CMA na época que o senhor estava no BIS?

O general Pedroso, por dois meses, e posteriormente o general Lessa.[15] Ambos cumpriram papéis relevantes para a Amazônia. O primeiro, com a participação do seu chefe de Estado-Maior, general Paulo Assis, homogeneizou e consolidou as místicas e as tradições das tropas de selva, que crescentemente se fortalecem e já extrapolam aquela região e, até mesmo, o Brasil. O general Lessa, por sua vez, foi muito ativo e teve sucesso em colocar a Amazônia na agenda nacional.

Foi depois presidente do Clube Militar.

Depois da Amazônia, comandou o CML [Comando Militar do Leste]. Passou para a reserva e, só então, presidiu o Clube Militar.

Depois do comando do BIS, o senhor foi matriculado na ESG.

Sim. Lá passei o ano 2000, no Curso de Altos Estudos de Política e Estratégia, equivalente ao CPEAEx. A ESG me trouxe uma vivência muito rica, resultante do convívio diário com os civis. O corpo de estagiários era dividido meio a meio entre civis e militares das três Forças e das polícias e bombeiros militares, compondo um universo diversificado e rico. Éramos organizados em equipes de governo, também de composição mista, formando o ambiente de trabalho diário. Cada equipe era responsável por elaborar o planejamento estratégico

---

15. Germano Arnoldi Pedroso e Luiz Gonzaga Schroeder Lessa.

de uma área de governo. A convivência diária com os civis, no início, se constituía num exercício de paciência e de flexibilidade intelectual. Nós, militares, temos todos a mesma estrutura mental, o que nos leva coletivamente a, diante de um impulso qualquer, reagirmos de forma padronizada. Os civis não, cada um vê o problema por um ângulo diverso. Com o tempo, incorporamos essa dialética como normal e enriquecedora, experiência que me foi útil todas as vezes que necessitei cumprir tarefas fora do ambiente da caserna.

Em que sentido, general?

É forçoso dizer que, não fazendo juízo de valores, trata-se de aprendermos a tirar proveito da diversidade de percepções, assim como é interessante constatar que a visão estratégica independe do universo de origem, formação e até mesmo da idade. Em contrapartida, há os que, diante de questões complexas, não sabem equacioná-las e encontrar os caminhos para as possíveis soluções. Felizmente, cada um possui sua própria vocação.

O senhor tinha quase 50 anos. Pelo que está falando, é a primeira vez que interage mais cotidianamente com civis.

Sim. Por essa razão, atualmente, proporciona-se aos militares, desde muito cedo, conviver com ambientes externos ao Exército, além de trazermos pessoas de outros universos a experimentar nossas idiossincrasias.

Porque, até então, na carreira militar, o senhor estava dentro, vamos dizer, das fronteiras da instituição.

Tive, anteriormente, excelente experiência na China, compartilhando o dia a dia com o corpo diplomático, que também não deixa de ser condicionado por uma forte cultura institucional hierarquizada. Uma marca que os distingue vem da sólida cultura geral, visão de mundo e capacidade de expressão verbal e, sobretudo, escrita. Logicamente, também desfrutei do contato com o corpo de adidos militares de todas as latitudes e longitudes.

Na minha experiência de pesquisa na Aman, no final dos anos 1980, pude ver que o cadete constrói uma fronteira simbólica entre o "aqui dentro" e o "lá fora". O senhor está falando que a experiência na ESG quebrou um pouco essa percepção, não?

Para a minha geração, essa afirmação é pertinente, mas, no que se refere aos mais novos, acredito que viverão essas experiências com muito mais naturalidade.

Os cadetes, hoje, também são objeto do que relatei no sentido de, o mais cedo possível, proporcionar-lhes vivências que extrapolem o ambiente restrito do dia a dia castrense. Adicionalmente, a Escola Preparatória de Campinas, que anteriormente abrigava o segundo grau completo, levava os meninos a serem submetidos ao internato a partir de uma idade média de 15 anos. Atualmente, na mesma Escola, cursa-se o primeiro ano da Aman, o que elevou a idade para 18 anos. Essa providência faz crescer, positivamente, a sensibilidade para perceber nuanças do ambiente onde o futuro oficial estará operando.

No meu caso, a ESG não deixou de ser uma preparação para a próxima tarefa: chefe da Assessoria Parlamentar do Exército (Aspar).

Aí o senhor foi lidar também com os políticos.

Ter passado pela ESG proporcionou-me uma visão abrangente sobre o país, decorrente das matérias ministradas e das viagens de estudo por todo o território e exterior. Não me proporcionou, contudo, os misteres requeridos para transitar pelo mundo político.

E como foi esse aprendizado com os políticos? Porque o mundo da política é muito diferente do mundo da profissão militar. No mundo da política, tem uma hora em que se é aliado, depois vira inimigo, depois vira aliado de novo, é contra uma coisa, depois muda e fica a favor... Isso faz parte do jogo da política.

Aprendi com a prática, apoiando-me nos que lá já estavam.

Há uma máxima na política segundo a qual ninguém é tão aliado que você não possa romper, nem, tampouco, é tão adversário que não possa aliar-se. Tancredo Neves dizia também que política é como uma nuvem: cada vez que você olha, ela está com um formato diferente. Logicamente, como em todos os setores de atividades, há preceitos éticos e morais próprios que estabelecem limites para a flexibilização das condutas. Portanto, pessoas alheias a esse universo não devem estabelecer juízo de valor, pois provavelmente se basearão em critérios preconceituosos. Os políticos estão presos a alguns rituais que, para nós, soam como absurdos. Algumas vezes, vemos dois adversários se digladiando de maneira ofensiva na tribuna do plenário, e, pouco depois, são vistos pacificamente compartilhando um cafezinho na copa da casa legislativa.

Nas viagens para as quais os convidávamos, nós passamos a não incluir representantes da imprensa, por duas razões: torna-se impossível observar os horários estabelecidos no planejamento, e eles perdem a espontaneidade, levados a assumir uma postura coerente com o perfil legislativo de cada um, ou com a linha de atuação dos respectivos partidos.

Na verdade, nós que pertencemos a uma instituição que, por um tempo, foi encarada com preconceito, podemos entender o que igualmente ocorre com o Congresso Nacional. Não saberia estabelecer o percentual, mas asseguro que há um universo considerável de pessoas honestas e preocupadas com o interesse público.

A Assessoria Parlamentar do Exército baseia sua atuação em tarefas básicas, algumas cumpridas à retaguarda, nas instalações do

QGEx [Quartel-General do Exército]. Ali há um grupo responsável pela elaboração do perfil, ou seja, do histórico de cada parlamentar e de pessoas que, direta ou indiretamente, tomam parte do processo legislativo: diretores de mesas, secretárias, assessores, diretores de comissões e líderes de bancadas e de partidos.

A pauta legislativa é acompanhada minuciosamente. Matérias de possível interesse são encaminhadas para o EME [Estado-Maior do Exército] que, após colher subsídios junto aos órgãos internos interessados, emite o parecer correspondente. É então elaborada uma nota técnica, para orientar as estratégias de atuação dos assessores. Um capítulo à parte transcorre ao final do ano em torno do orçamento, em sessões que se estendem até o amanhecer.

Em 2003, as equipes do Congresso eram integradas por um oficial no Senado e dois na Câmara. Atualmente, os efetivos estão dobrados. A título de comparação, no Exército americano, mais de 100 militares compõem as assessorias de atuação junto ao Parlamento.

As estratégias de atuação iam desde a solicitação a um parlamentar ligado a nós, para que assumisse a relatoria de um projeto, em paralelo ao convencimento do presidente e demais integrantes da correspondente comissão. O ato de "fazer um relator" implica, em contrapartida, assegurar que o resultado será favorável, evitando-se o desgaste ou o desprestígio para o parlamentar. Logicamente, até chegarmos a esse grau de amizade e confiança, um longo caminho de aproximação precisa ser percorrido, independentemente do partido de filiação. Esse processo inicia-se nas bases, envolvendo os comandos com sede em cada capital, onde também atuam assessores parlamentares locais.

Ainda sobre a sua experiência na Assessoria Parlamentar. Eram os anos finais do governo Fernando Henrique. Como era seu dia a dia?

Com frequência, recebíamos sugestões para que induzíssemos a formação de uma bancada militar. Preferimos sempre considerar que todo o Congresso constituía uma bancada comprometida com as Forças, sem o risco de criarmos, por um lado, um ambiente de obrigações e favorecimentos e, por outro, um pressuposto de exclusão. Nossa atuação independia de partido ou de bancada.

Uma eficiente ferramenta para o estreitamento de laços eram as viagens para conhecer nossas atividades mais relevantes. Normalmente, elencávamos a Amazônia, o sistema de ensino, as unidades dedicadas à ciência e tecnologia, o Calha Norte e os projetos estratégicos. Logicamente, que essa receptividade, muitas vezes, exigia algumas contrapartidas, que vinham em forma de pedidos.

Pedidos de quê?

A maioria relacionava-se com inclusão ou exclusão do serviço militar. Mais complexos eram aqueles que, por limitações impostas pela legislação ou por ferirem preceitos éticos, nos víamos impedidos de acatar: matrículas em escolas militares, transferências e promoções. A prática nos ensinou, contudo, que, mais importante do que o atendimento do mérito, era a atenção que prestávamos ao solicitante; nenhum pedido ficava sem resposta.

Com quais parlamentares o senhor tinha mais receptividade em relação aos assuntos de interesse do Exército, dos militares em geral?

Em geral, de oposição, excetuando aqueles mais ideologizados ou com um forte sentimento revanchista. Faltava um mês para as eleições de 2002, quando entrou na pauta da Câmara um projeto de lei, de autoria de um deputado do PT, visando à revogação da Lei de Anistia. Imediatamente levei ao deputado Mercadante, líder do PT: "Coronel, fique tranquilo, porque esse projeto sai de pauta hoje mesmo."

Durante o governo Fernando Henrique, os partidos de oposição identificavam-se conosco em torno de questões nacionais, como a

Amazônia. Quando o Exército trabalhava por instalar o Pelotão Especial de Fronteira de Uiramutã, na região do Lavrado, onde futuramente seria demarcada a Reserva Raposa Serra do Sol, desencadeou-se uma campanha internacional com base na ideia de que a presença dos soldados contaminaria a cultura indígena. O jornal *Washington Post* publicou um artigo nesse sentido. Foi o deputado Aldo Rebelo que, por meio de uma carta, refutou os argumentos do periódico. Ele pediu, em seguida, para que o levássemos a conhecer a realidade indígena. Pôde então constatar a hipocrisia em torno dos argumentos manuseados contra nosso projeto. Uiramutã já era sede de município, com todos os órgãos correspondentes instalados. A prefeita, sra. Florany Mota, ela própria indígena, havia feito a campanha eleitoral com posição contrária à demarcação, recebendo amplo apoio da população, majoritariamente pertencente às etnias wapixana, ingarikó, taurepang, patamona e macuxi.

Contrariando essas e outras evidências, inclusive as históricas, a demarcação se processou sob o critério de área contínua. Tivesse ela adotado algum princípio distinto, os interesses indígenas absolutamente em nada teriam sido afetados. Extremamente frustrante foi verificar que todo o nosso esforço no sentido de divulgar a realidade foi ignorado. Na época, eu era chefe do Estado-Maior do Comando Militar da Amazônia. Sabendo da posição de Aldo Rebelo, então secretário de governo do presidente Lula, liguei e o encontrei também muito frustrado. Relatou que, na reunião decisória com o presidente da República, ele foi o único que se manifestou veementemente contrário à demarcação.

O Exército nunca foi consultado, embora, sem jactância, fôssemos a instituição que, com maior profundidade, conhecia aquela realidade, já que preexistiam três pelotões de fronteira na área do Lavrado, o que nos proporcionava uma convivência estreita com os índios e o perfeito conhecimento das necessidades básicas e o posicionamento deles sobre a demarcação. Havia uma orquestração envolvendo a grande imprensa, órgãos do governo, ONGs e algumas lideranças dos próprios indígenas. Éramos lembrados apenas quando alguma autoridade desejava ir à região para "melhor conhecer a realidade". Proporcionávamos o transporte de helicóptero e o necessário apoio logístico, normalmente, de alimentação e hospedagem.

Revoltou-nos a desfaçatez com que era montada uma verdadeira pantomima, da qual participavam os atores esperados. Logicamente, a grande imprensa acompanhava e fazia uma ampla divulgação, causando-nos revolta e sentimento de impotência. A demarcação promoveu fortes dramas humanitários, guardadas as proporções, comparáveis aos *"pogroms* de Stalin".

Famílias foram separadas, os proprietários de terras, com títulos de propriedade remontando há mais de 100 anos, foram obrigados a abandonar as propriedades. As esposas, quando indígenas, tinham de optar entre separar-se dos maridos ou abandonar o local onde nasceram e passaram a vida. Entre os próprios maridos, era impossível distinguir, pela aparência física, se eram ou não indígenas, pois também eram resultantes de ancestral miscigenação.

O final era previsível. Os índios foram privados das fontes de sustento, pois, via de regra, trabalhavam nas fazendas. Hoje, fazendeiros e índios engordam o cinturão de pobreza em torno de Boa Vista.

Fica a pergunta: quem se responsabiliza pelo sofrimento e prejuízos dessa gente?

O senhor passou praticamente dois anos nessa função. O ministro da Defesa era o Geraldo Quintão, o comandante do Exército era o general Gleuber.

Foi um período muito difícil para as Forças Armadas. O governo tinha como meta absoluta obter o superávit, o que resultou num longo período de estiagem orçamentária. O comandante, general Gleuber, foi obrigado a estabelecer medidas drásticas de economia. A partir do meio do ano, passamos a cumprir meio expediente, além de licenciarmos, antecipadamente, o contingente incorporado em fevereiro.

Pessoas desavisadas e os que não conhecem o âmago das instituições militares não dispõem de ferramentas para avaliar os prejuízos acarretados por medidas dessa natureza. Integrar uma instituição que, para economizar, não trabalha, afeta a autoestima e cria um sentimento de desimportância em seus integrantes.

Individualmente, gera acomodação e, a médio ou longo prazo, provoca a desprofissionalização dos quadros. Institucionalmente, atrofia-se a visão estratégica, pois, premida pelo instinto de sobrevivência, a preocupação com o dia a dia passa a prevalecer sobre a perspectiva de longo prazo.

Nesse mesmo período, sofremos um duro golpe, quando o governo baixou a Medida Provisória nº 2.215, de outubro de 2001, que, de certa forma, antecipou a reforma da previdência dos militares. Numa só canetada foram extintos o auxílio moradia, o adicional de tempo de serviço, a licença especial e outras vantagens associadas à passagem para a inatividade. Como consequência, quem ingressou na vida militar a partir daquela data, ao aposentar-se, receberá 30% menos que aqueles que já integravam as Forças.

Na Assessoria Parlamentar, o senhor foi promovido a general de brigada e voltou para a Amazônia. Qual seu balanço do tempo na assessoria, e como foi esse regresso à Amazônia?

A Assessoria Parlamentar foi uma escola. Ali aprendi a não fazer juízo de valor calcado exclusivamente em nossos parâmetros. Capitalizei experiências e uma rede de conhecimentos e de amizades, de cujos dividendos desfruto até hoje. Sobretudo, me foram muito úteis durante o comando do EB [Exército Brasileiro].

Em abril de 2003, eu retornava ao CMA, como chefe de Estado-Maior, para júbilo da família. Permaneci por três anos. Confesso que meu sonho teria sido comandar uma Brigada de Selva. Todo final de ano eu pedia ao comandante do CMA, general Figueiredo, para me transferir, mas ele, hábil e simpaticamente "me enrolava na bandeira", convencendo-me a permanecer onde estava.

Novamente tivemos um período felicíssimo, a começar pela convivência com o comandante e sua querida esposa, dona Sandra. Típico dos cavalarianos, ele era muito descentralizador, delegando-me as tarefas de fiscalizar as unidades de Manaus e de coordenar a atuação das brigadas. Com isso, meu trabalho abrangia toda a extensão do CMA.

Quanto às brigadas, todos os comandantes eram muito experientes e, por felicidade, velhos amigos, contemporâneos de academia e outras jornadas. Religiosamente, a cada semana eu me ligava com eles. O intuito era mostrar-me disponível, estabelecendo assim uma perspectiva de antecipação e de facilitação na solução de problemas. Alguns eram mais antigos, e com todos tenho uma dívida de gratidão. Em Boa Vista, o cearense general Paulo Studart e o general Madureira, já falecido. Em São Gabriel da Cachoeira, o gaúcho general Boabaid, primeiro-comandante, que cumpriu a difícil missão de instalar a brigada, vinda de Niterói, substituído depois pelo general Mourão, nosso vice-presidente. Em Tefé, o general Silva e Luna, mais tarde ministro da Defesa, substituído pelo general Brandão, agora no GSI. Em Porto Velho, o general Bolivar, gaúcho que depois comandou o CMS [Comando Militar do Sul]. Veio depois o general Peret, amigo mais que especial, com quem fiz o curso de operações na selva, no Cigs, que ele, como coronel, havia comandado. Não terminou seu tempo, pois foi designado adido militar nos Estados Unidos. Foi nomeado em seu lugar o general Pinto Homem. Em Marabá, dois companheiros de turma e especiais amigos: o infante Nass e o cavalariano Mauro Wolf. Outras figuras marcantes foram o general Ferreira, chefe do Centro de Operações. Posteriormente, como general de exército, foi o primeiro comandante militar do Norte e chefe do Departamento de Engenharia de Construção. Agora ocupa o cargo de presidente da Empresa Brasileira de Serviços Hospitalares, responsável pela gestão de 40 hospitais universitários federais. Era subordinada a nós, também, a 8ª Região Militar, de Belém. Os comandantes foram o general Moratta e o general Jarbas, uma figura quase lendária. Mineirão pescador, cursou a Escola de Sargentos, obtendo o primeiro lugar; fez concurso para a Aman, onde também foi o primeiro, classificação que repetiu na EsAO. Extremamente simples e rústico, a par de ser um estudioso das coisas militares, fez boa parte da carreira na selva. Está na reserva, radicado em Três Corações, fazendo suas pescarias.

O general Figueiredo fazia com que eu o acompanhasse em todas as viagens, graças ao que conheci todas as organizações militares do CMA, inclusive os pelotões de fronteira e as comunidades indígenas. Eu não imaginava, mas foi uma perfeita preparação para, mais tarde, exercer meu comando na Amazônia.

O general Jaborandy, meu chefe de Estado-Maior quando comandei o CMA, sintetizava com propriedade o que significa servir na Amazônia: "Na Amazônia, às vezes um mês dura uma semana, ou uma semana dura um mês, mas sempre um ano dura um dia." Jaborandy faleceu em 2015, no exercício do mandato de comandante das Forças de Paz no Haiti. O Exército perdeu um profissional brilhante e eu, um amigo dileto.

O Exército também teve um movimento de aumentar o número de unidades e de efetivos na Amazônia. Várias unidades foram transferidas. Teve o Projeto Calha Norte, um pouco anterior.

A Amazônia tornou-se prioridade estratégica e, a partir da distensão com a Argentina e criação do Mercosul, muitas unidades e comandos de brigada foram transferidas, a exemplo da 1ª, que de Petrópolis foi para Boa Vista, a 2ª de Niterói foi para São Gabriel da Cachoeira e a 16ª de Santo Ângelo para Tefé. Esse movimento prossegue.

Acabamos de inaugurar a 22ª Brigada de Infantaria de Selva em Macapá. Entre suas missões está a vigilância da fronteira com a Guiana Francesa e o estabelecimento de interface com a Legião Estrangeira de Kourou. Ocupou o que, até então, era um vazio estratégico importante, pois, no Amapá, fazemos fronteira com o território ultramarino da França, que sempre reclamou de nossa rarefeita presença, já que, ao longo do rio Oiapoque, o fluxo dos garimpeiros e de outros ilícitos partiam do Brasil para o território vizinho.

Paralelamente, preocupamo-nos em contemplar todos os sistemas operacionais, além da infantaria, cavalaria, artilharia, engenharia, sistemas modernos de comando e controle – comunicações e satélites –, logística, inteligência, saúde, bem-estar do pessoal militar e famílias, e a integração com a Marinha e a Força Aérea. Ambas as Forças, igualmente, aumentaram substancialmente suas estruturas. De nossa parte, fizemos o efetivo aumentar de 8.600, em 1986, para em torno de 30 mil homens.

Logo que assumi o comando do CMA, constatamos que, por sua extensão, nossa área de responsabilidade excedia a capacidade de comando e controle. De Manaus, tínhamos dificuldade para perceber as peculiaridades e de atender às demandas da Amazônia oriental – Pará, Maranhão e Amapá –, que apresentavam características bem distintas da contraparte ocidental – Amazonas, Acre, Rondônia e Roraima. Cada área ostentava conjunturas totalmente distintas. História, meio ambiente, economia, cultura, condicionantes estratégicas apontavam para o desmembramento até com certa urgência.

O comandante do Exército, general Enzo, prontamente atendeu à nossa proposta e, em março de 2013, o general Ferreira assumiu o Comando Militar do Norte [CMN]. Conhecedor da área desde tenente e baseado no domínio de métodos de gestão, típicos dos engenheiros, fez com que o CMN rapidamente se consolidasse.

A respeito da Amazônia houve há pouco o episódio das queimadas e da fala do presidente Macron, dizendo que se tinha de pensar a questão internacional a respeito da Amazônia. O senhor também fez um texto sobre isso, no Twitter.[16] *O senhor poderia sintetizar sua preocupação, sua visão sobre a Amazônia?*

Sobre a Amazônia, existe muita desinformação, até de caráter intencional, principalmente sobre os temas meio ambiente e questão indígena. Este "filtro" não permite que a realidade chegue aos centros econômicos culturais e políticos, impedindo que a população esclarecida, bem como as instâncias decisórias, posicione-se adequadamente. A grande imprensa tem parcela de responsabilidade. Em nosso principal veículo de comunicação, a Rede Globo, alguns setores são dominados pelo politicamente correto. Em consequência, expõem os assuntos sob um enfoque desconectado da verdade. Ao nosso jornalismo investigativo tem faltado vontade ou competência para desvendar o que move e sustenta todo esse grande esquema de amplitude mundial. Se o fizesse, descobriria formas contemporâneas de imperialismo, movidas pelo grande capital, corporações, organismos internacionais e as ONGs.

É bem verdade que toda essa ampla e complexa ordem de coisas não encontraria condições de êxito se o Brasil não oferecesse passivos em todos os campos. Suas narrativas se impõem, colocando-nos em permanente atitude defensiva. Possuem ilimitada capacidade de estigmatizar ideias e pessoas que lhes são contrárias. Cito como exemplo expressivo o que vem sendo feito com nosso destacado e

---

16. No contexto de notícias sobre aumento de incêndios na Amazônia, o presidente francês Emmanuel Macron, no dia 22 de agosto de 2019, às vésperas de uma reunião do G7, levantou a possibilidade de um estatuto internacional para proteger a região. O presidente Jair Bolsonaro reagiu à declaração, acusando a atitude de Macron de colonialista. No mesmo dia, o general Villas Bôas, em postagens no Twitter, afirmou que se tratava de um "ataque direto à soberania brasileira" e alertou para "ameaças de emprego do poder militar" com base nas falas do presidente francês.

eficiente ministro do Meio Ambiente, Ricardo Salles, que corajosamente, desde que assumiu sua pasta, vem lutando para desmontar estruturas aparelhadas, ineficientes e corrompidas, que criaram um ambiente favorável à dissipação de recursos financeiros, sem que se produzam os efeitos pretendidos.

Por outro lado, esse aparato ostenta eficiente capacidade para construir mitos representativos de seus propósitos. Assim o fizeram com Chico Mendes. A engenharia que orientou a construção de um mito, e a aura de herói e mártir, é denunciada pela jornalista canadense Elaine Dewar, no livro *Uma demão de verde*, publicado em janeiro de 2007, pela editora Capax Dei. A imprensa nacional, logicamente, não deu destaque à verdadeira biópsia que a autora, detalhadamente, descreve a respeito dos esquemas internacionais de elaboração de narrativas que sustentam arquétipos por trás dos quais encastelam-se, inexpugnavelmente. Nossas vulnerabilidades decorrem da quase impossibilidade de fazer valer nossos relatos e também de negligências acumuladas ao longo dos tempos.

A primeira iniciativa de exploração econômica planejada deu-se no tempo do marquês de Pombal, a partir de 1750, ano de assinatura do Tratado de Madri, que revogou o Tratado de Tordesilhas e deu a Amazônia ao Brasil. Estabeleceu como critério para delimitação entre o que pertenceria a Portugal e Espanha, nas colônias sul-americanas, o princípio do *"uti possidetis"*. Esse instituto pragmaticamente legalizava a posse dos territórios até aquele momento ocupados pelas partes. Pombal, então, nomeou seu meio-irmão, Mendonça Furtado, como governador-geral do Grão-Pará e Maranhão. Estabeleceu medidas com o intuito de tornar irreversível o domínio de algumas áreas pertencentes a Portugal. Fundou cidades, construiu os fortes de Príncipe da Beira, de Macapá e de Tabatinga e estabeleceu empreendimentos de criação de gado em Tefé e no Lavrado de Roraima.

Depois de Pombal, somente nos governos militares a Amazônia veria planos estruturados com vista à integração e ao desenvolvimento. Abandonada até hoje, a região carece de uma política e de um órgão com capacidade de coordenar medidas plurissetoriais, com amplitude e profundidade, que tenham o poder de modificar a atual conjuntura.

Qualquer abordagem sobre a Amazônia deve equilibrar visões endógenas e exógenas e compatibilizar o desenvolvimento com a preservação. Sobretudo, necessita ter um caráter multidisciplinar que contemple fundamentos sociais, ambientais, econômicos, pesquisa científica harmonizada com o conhecimento tradicional das populações locais e, por fim, a segurança e a defesa. Importante também é o respeito ao "tempo amazônico", pois as demandas e os anseios das populações locais obedecem a uma lógica distinta daquela dos não amazônidas.

Com otimismo, vemos o governo Bolsonaro caminhar em sentido contrário, ao criar o Fundo Amazônia, entregando a responsabilidade para um profundo conhecedor daquela região, o general Mourão, vice-presidente.

A incipiente ação governamental sobre a Amazônia dá margem a manifestações com o teor semelhante à do presidente Macron. Há muito tempo, líderes estrangeiros orquestram pronunciamentos com esse teor. Em 1989, Al Gore, campeão do ambientalismo, disse: "Ao contrário do que os brasileiros pensam, a Amazônia não é deles, mas de todos nós." No mesmo ano, veio da própria França a recomendação do presidente François Mitterand, de que "o Brasil precisa aceitar uma soberania relativa sobre a Amazônia". Longe de esgotar o repertório de admoestações contra nós, o primeiro-ministro soviético Mikhail Gorbachev, sabe-se lá com que intuito, também abriu suas baterias, orquestrando que "o Brasil deve delegar parte de seus direitos sobre a Amazônia aos organismos internacionais competentes".

É possível colecionar dezenas de afirmações de líderes internacionais que ignoram a luta que travamos para proteger nossos biomas. Fazem parecer que, quando se trata de preservação ambiental, o quesito "coerência" deixa de ser requisito para conferir autoridade moral. Os países europeus praticaram um colonialismo predatório, vitimando, igualmente, as populações e os ambientes onde elas residem. A Inglaterra concretizou seu projeto de poder, no tempo de Henrique VIII, extinguindo as florestas da ilha para a construção da armada com que conquistaria o Império "onde o sol não se punha." A França, já no século XX, fazia experimentos nucleares na Polinésia, e a Noruega, por sua vez, até nossos dias, caça baleias e explora petróleo no interior do círculo polar ártico.

Sendo assim, nós brasileiros deveríamos focar em projetos para exploração da Amazônia condicionados exclusivamente por nossos parâmetros. Adicionalmente, temos negligenciado as oportunidades que a Pan-Amazônia nos oferece para liderar a ocupação, o desenvolvimento e a preservação, como fundamentos para um processo de integração regional. Nos países condôminos, as respectivas Amazônias guardam uma forte homogeneidade no que se refere às características, problemas e potencialidades.

Acho que pode haver até um razoável consenso de que, primeiro, a Amazônia é ainda muito pouco conhecida do ponto de vista científico; segundo, que existem interesses comerciais em explorá-la – uma cobiça, nesse sentido comercial. Mas outra coisa, que se colocou agora e que apareceu muito no noticiário, é a preocupação em relação a uma possível perda de soberania sobre a Amazônia. O senhor acredita que existe, mesmo, o risco de o Brasil perder soberania sobre parte da Amazônia?

Não se espera uma ação militar direta sobre a Amazônia, até porque as condições geográficas inviabilizam um intento dessa natureza. A esse efeito dissuasório natural, tratamos ainda de agregar a "estratégia da resistência", capacitando as Forças Armadas a tirar proveito do que a geografia proporciona para o enfrentamento de eventuais oponentes.

O mais preocupante, contudo, vem do que o general Etchgoyen chamou de déficits de soberania. Em outras palavras, na defesa das fronteiras virtuais não temos garantido o mesmo êxito que logramos em relação às fronteiras físicas. Um evento recente ilustrou a perda da liberdade para agirmos em consonância com nossos interesses. O presidente Temer, em agosto de 2017, decidiu pela extinção da Reserva Nacional do Cobre e Associados (Renca), que na prática já não fazia sentido, pois estava tomada por garimpos clandestinos, posseiros etc. O propósito se restringia a apenas regulamentá-la, sem estabelecer a permissão para exploração. Imediatamente, desencadeou-se uma campanha internacional, logicamente que com origem no ambientalismo interno, o que fez com que meses depois a iniciativa fosse revogada.

Quer dizer, seria correto dizer que o senhor está preocupado menos com a perda de soberania territorial, de ocupação, do que com uma limitação da margem de ação do governo do país sobre a Amazônia. Seria isso?

Em seguida à assinatura do acordo entre Mercosul e União Europeia, fomos atropelados por uma avalanche de acusações, oportunistamente, tirando proveito da sazonal temporada de queimadas. Nossa imprensa, guardadas algumas exceções, tratou de dar cores dramáticas ao que denunciavam, amplificando as matérias advindas do exterior. Ficamos imobilizados a despeito dos esforços do governo, até que outras matérias viessem a ocupar espaço na mídia.

Mas, tirando essa revolta ou irritação com essas falas, como a do presidente Macron, o senhor não acha que a questão ambiental é séria, que ela existe? Aquecimento global, sustentabilidade...

Muito séria. Há inúmeras razões pelas quais devemos impedir que o desmatamento avance. Em primeiro lugar, por uma questão de responsabilidade perante as gerações futuras. Em segundo, para impedir a legitimidade dos argumentos daqueles que nos acusam de negligência ou descaso. Por fim, porque a biodiversidade tem um valor elevadíssimo, ainda não quantificado pelo que a ciência alcança até então.

Nesse campo, eventos históricos nos servem de exemplo, desde o contrabando de sementes da seringueira para a Malásia, com efeitos desastrosos para a economia da Amazônia, encerrando ciclo da borracha, até, mais recentemente, o registro da marca cupuaçu pelo Japão, que nossa diplomacia teve sucesso em reverter.

9
O processo de transformação do Exército

Nos demos conta de que tínhamos planejado um Exército de II Guerra Mundial.

Como foi vista, na Força, a eleição de Lula?

Com alguma preocupação que ele, presidente Lula, ao início, tratou de dissipar. A primeira importante medida foi a reversão da série orçamentária até aquele momento decrescente. Adquiriu mais de 14 mil viaturas, salvação para um Exército desprovido de meios de transporte num país em que as distâncias são colossais. Naquela época, somadas todas as viaturas de transporte de pessoal, no Comando Militar do Nordeste, conseguíamos reunir 40, o que corresponde à dotação de um único batalhão. Posteriormente, o presidente nomeou para o Ministério da Defesa o ministro Jobim e, para a Secretaria de Assuntos Estratégicos, o ministro Mangabeira Unger.

Atribuiu-lhes duas tarefas: fazer com que os assuntos atinentes à defesa constassem da agenda nacional e a outra, que viria a ser um marco, a elaboração da Estratégia Nacional de Defesa. Com ela, pela primeira vez na história brasileira, o poder político orientou os militares sobre que parâmetros deveriam conduzir as atividades castrenses, aí compreendidos a estrutura, missões e perspectivas de evolução. Como exemplo, a estratégia da presença, conceito herdado dos portugueses, por nós aplicado há décadas, veio a ser oficializado somente a partir daí.

A impressão que dava era de que não havia políticos de peso interessados em assuntos de defesa.

Não sei avaliar quanto ao interesse. O MD [Ministério da Defesa] apresenta algumas nuanças e especificidades nem sempre percebidas pelos titulares. Houve duas experiências decorrentes da nomeação de diplomatas para a função que se mostraram inadequadas, pois trouxeram consigo uma cultura institucional distinta da dos militares e, como dizia o general Etchegoyen, praticavam um discurso não coincidente com a linguagem da defesa.

No governo Temer, experimentamos uma quebra de paradigma, com a nomeação do general Silva e Luna. Argumentavam que, assim sendo, os militares deixariam de estar subordinados ao poder político civil. Vencidas essas resistências, a realidade acabou por demonstrar serem infundadas tais preocupações. Os militares, a partir de um natural senso de obediência e de compreensão do papel a desempenhar na estrutura do Estado, jamais ameaçaram as normas institucionais ou criaram algum problema para o governo. Ao contrário, representaram um permanente fator de estabilidade. Foi interessante notar o alarmismo, eventualmente beirando a histeria, de que as Forças Armadas seriam uma ameaça à ordem, às instituições ou à democracia.

Em relação, ainda, à escolha de um militar para o cargo de ministro da Defesa, o que se percebe é que eles aplicam, no exercício da função, o senso de liderança, hierarquia e disciplina, praticados desde a juventude.

Nesse ínterim, em meados de 2008 começamos a receber as primeiras demandas decorrentes da Estratégia Nacional de Defesa. Colaboramos com o Ministério da Defesa, desde os passos iniciais, na parte referente ao Exército, em mais de 20 versões. Para essa tarefa, dispúnhamos de apenas dois oficiais, os depois general Antunes, meu ex-cadete de 1978, afilhado de entrega de espada de general, e o atual general Mário, agora no comando das Forças Especiais. Mário mantém o vigor, a jovialidade e o entusiasmo de tenente, apesar dos cabelos embranquecidos. Deram conta dos encargos graças à experiência, à cultura e a uma enorme capacidade de trabalho. Quando a versão final chegou às nossas mãos, constatamos o gigantismo dos planejamentos que ela nos determinava. Dispúnhamos de seis meses para elaborar um projeto de total reformulação do Exército, abrangendo todos os sistemas de atividades.

De pronto, constatei que as estruturas de que dispúnhamos para essa tarefa não nos permitiriam cumprir todas as missões no prazo estabelecido. Amadureceu, de imediato, uma ideia que vinha sendo considerada por meus antecessores na 3ª Subchefia. Nela acumulavam-se atividades díspares, doutrina e estratégia. Generais Rui, Mattos e Breide haviam deixado as bases da modificação a empreender, qual seja, deixar a 3ª Subchefia apenas com encargos de doutrina e criar a 7ª Subchefia, onde seria formulado o planejamento estratégico.

Esse trabalho foi facilitado pelo fato de não exigir a criação de novos sistemas. Bastou-nos reunir e integrar o que preexistia no EME: o Centro de Estudos Estratégicos (CEE), com o encargo de estabelecer os cenários para os horizontes temporais considerados e deles extrair as indicações para o planejamento; a Seção de Planejamento Estratégico, onde é elaborado o Sistema de Planejamento do Exército (SIPLEx), documento por meio do qual o EME traça e detalha as políticas e as diretrizes a serem cumpridas pelos subsistemas da Força; e, por fim, de fundamental importância, reunimos, complementarmente, a Seção de Acompanhamento, responsável por verificar o atingimento das metas estabelecidas no SIPLEx, e, a partir daí, fazer a retroalimentação do sistema.

O planejamento demandado pela Estratégia Nacional de Defesa nos exigiu seis meses de trabalho intenso e abrangente. Contou com o concurso dos comandos militares de área, do COTer e dos departamentos – órgãos centrais dos sistemas de atividades. Tivemos, principalmente nas fases iniciais, em meio às incertezas sobre o estabelecimento de objetivos e a definição de metodologias, o apoio essencial da FGV. Ao professor Carlos Ivan, seu presidente, a quem eu não conhecia, bastou uma única apresentação, para que ele, além de envolver-se pessoalmente, empenhasse as estruturas da Fundação em ações que exigiam elevada *expertise*.

O grupo que trabalhou na transformação era integrado por generais e oficiais movidos pelo mesmo ideal, pela mesma ânsia de que, quando saíssemos do Exército, deixaríamos um Exército melhor.

Externamente, recorremos a outras empresas de grande vulto, que, igualmente, abriram ao nosso conhecimento as respectivas estruturas organizacionais e os processos de formulação estratégica. Vale do Rio Doce, Odebrecht, Banco Central e Petrobras gentilmente assentiram em interagir conosco, deixando as portas abertas para futuras consultas. Logicamente, houve um estreito intercâmbio com a Marinha e a Força Aérea, ambas envoltas em atribuições similares às nossas.

No exterior, pesquisamos os exércitos dos Estados Unidos, Reino Unido e, com maior intensidade, da Espanha e do Chile. Todos estavam bem adiantados na implantação dos respectivos processos. Alguns haviam inclusive estabelecido comandos de transformação, um indicativo da complexidade do que as tarefas em curso representavam. Com o Chile, houve um detalhado intercâmbio, tirando proveito da presença, à frente da transformação, do general Mardones, famoso no Chile por sua eloquência verbal e pelas piadas repetidas. Mardones cursou a EsAO conosco e, posteriormente, exerceu o cargo de adido militar em Brasília. Tornamo-nos amigos pessoais. Abriu portas para proveitosos intercâmbios e ele próprio veio nos ministrar palestras, sempre com acentuado entusiasmo. Os chilenos são profissionais muito aplicados e altamente camaradas.

A despeito do abrangente e minucioso trabalho, quando, ao final de 2008, o entregamos ao Ministério da Defesa, o fizemos com um gosto amargo na boca.

Com gosto amargo na boca? Por quê?

A elaboração nos permitiu perceber que tínhamos feito "mais do mesmo". O general Paulo Cesar de Castro observou, certa vez, que, se tomássemos uma unidade de artilharia, completássemos o efetivo previsto, a deixássemos plena de equipamentos e suprimentos e culminássemos cumprindo todo ciclo de adestramento, teríamos uma unidade pronta para lutar na II Guerra Mundial.

Contudo, nada foi perdido, nessa tarefa gigantesca. Acumulamos um enorme banco de dados e, simultaneamente, consolidamos um minucioso diagnóstico.

O que necessitávamos, em síntese, era promover um salto da era industrial para a do conhecimento.

A tarefa de implantar a transformação foi simplificada, por já haver no Exército uma unanimidade no sentido de não a postergar. Algumas pequenas histórias vividas rotineiramente ilustravam essa realidade. A convite do general de exército Marius, comandante militar do Nordeste (CMNE), compareci a uma reunião de comando em Recife, aproveitando para discutir as transformações que pretendíamos promover no Nordeste. Perguntei ao general de divisão Carulla sobre como ele reagiria, caso a 10ª Região Militar de Fortaleza, que ele comandava, se tornasse uma brigada. Com admirável simplicidade, ele respondeu: "Não fará nenhuma diferença, pois disponho de uma viatura apenas." Era o tempo, a que já me referi, em que todo o CMNE contava com 40 viaturas operacionais.

Discussões dessa natureza nos proporcionavam uma visão acurada da realidade, estreitando nossa margem de erro. Durante um debate com generais e coronéis do Quartel-General do Exército, eu discorria sobre artifícios para diminuir efetivos. Como uma alternativa lógica, imaginávamos remover unidades do Nordeste. Levantou-se o alagoano general de exército Santa Rosa, argumentando: "Isso é coisa de teóricos e amadores." Amigos que éramos, percebi que não tinha o intuito de ofender-me. Pretendia ele caracterizar que a discussão em si carece de profissionalismo e de senso de realidade. Eu, não querendo passar recibo e tampouco permitir que meus auxiliares fossem responsabilizados, disse-lhe: "General, o teórico e amador sou eu próprio."

Seguiu-se uma acirrada discussão, com participação do general Enzo e de generais de todos os níveis. Aguardei a querela amainar e dei por encerrado o assunto. Mal cheguei à minha sala, quando entrou o general Santa Rosa. Gentilíssimo, tinha ido desculpar-se. De minha parte, nesse pouco tempo, meditando sobre o mérito da discussão, eu já havia concluído que ele estava com a razão. Afinal, quem distribuiria água na Operação Pipa, quem limparia as praias contaminadas por derramamento de óleo vivido no início de ano, e, mais importante, a quem seriam atribuídas tarefas de garantia da lei e da ordem, frequentemente recorrentes? Reconheci meu erro e coube a mim desculpar-me. O general Santa Rosa, durante o primeiro ano do governo Bolsonaro, exerceu o cargo de secretário de Assuntos Estratégicos.

Aqui cabe uma rápida explicação sobre o conceito de transformação e o que ela envolve. Esse conceito surgiu na década de 1970, a partir da discussão sobre evolução em assuntos militares (EAM) e revolução em assuntos militares (RAM), combinando dinâmica do progresso gradual com a necessidade de periodicamente romper paradigmas na busca da plena capacidade de superar oponentes e cumprir missões.

Com o surgimento das novas tecnologias relacionadas ao processamento e transmissão de dados, à robótica e aos sistemas de armas, firmou-se a tendência de sistematizar as ações necessárias para o aproveitamento militar dessas vantagens potenciais por intermédio do processo de transformação.

Tecnologia da informação, cibernética, capacidades espacial e nuclear, nanotecnologia, robótica, C4ISR, biotecnologia são alguns dos parâmetros com os quais as Forças militares estão se deparando nos conflitos atuais e nos visualizados para o futuro.

O significado da ação de "transformar" foi discutido em artigo publicado na edição brasileira da *Military Review*, de novembro-dezembro de 2007, intitulado "Três pilares de uma transformação militar", de autoria do brigadeiro Julio Jaime Garcia Covarrubias, do

Exército do Chile. Afirma o autor que as instituições militares podem ser submetidas a três tipos de mudanças: adaptação, modernização e transformação.

"A adaptação consiste em ajustar as estruturas existentes para continuar cumprindo as tarefas previstas; a modernização corresponde à otimização das capacidades para cumprir a missão da melhor forma; e transformação é o desenvolvimento das novas capacidades para cumprir novas missões ou desempenhar novas funções em combate."

Em suma, durante muito tempo nós desenvolvemos uma verdadeira cultura de adaptação, premidos pelas necessidades e dando vazão à criatividade que nos é inerente.

"A modernização incide sobre as estruturas físicas da Força, trazendo-as do passado para o presente. Decorre da aquisição de materiais modernos sem, contudo, estabelecer concepções inéditas de uso e sem integrá-los aos demais sistemas."

Já a transformação altera as concepções, projetando a Força para o futuro. São "pontos que marcam uma transformação": transição da estrutura de paz para a de guerra; compressão operativa, que significa diminuir o ciclo que vai do planejamento até a execução; interoperabilidade, em relação a outras Forças, países e agências; desenvolvimento dos sistemas de armas; e gestão da informação.

A história militar assinala dois episódios clássicos, um de transformação e outro de modernização e os efeitos que produziram.

O primeiro caso representa o mais exitoso processo de transformação da história contemporânea. Trata-se da Blitzkrieg, com a qual os exércitos de Hitler varreram a Europa ocidental. Os equipamentos e armamentos alemães não eram superiores aos dos ocidentais, que ainda se achavam presos a concepções estáticas da I Guerra Mundial. Os franceses, por exemplo, consideravam a Linha Maginot inexpugnável, a despeito dos alertas de Charles de Gaulle.

O general Guderian, o grande mentor das modificações e criador da Blitzkrieg, basicamente tirou proveito da velocidade dos blindados, que deixaram de se restringir ao papel de apoio de fogo à infantaria. Combinou-os com o emprego da aviação e fez uso de pontos focais (objetivos), por meio dos quais coordenava todas as unidades em ação.

No outro extremo, estava a cavalaria polonesa, ostentando a reputação de, com 70 mil ginetes, ser a melhor do mundo. Era integrada pela elite do Exército. Às vésperas da guerra foi dotada do que havia de mais moderno: cavalos, arreamentos e armas. Empregados contra a invasão alemã, em setembro de 1939, foram desbaratados em poucos dias.

Em nosso Exército, a continuada carência de recursos impôs o surgimento de uma cultura que atribui alta relevância à capacidade de adaptação para ajustar as estruturas e os procedimentos existentes com a finalidade de continuar cumprindo as tarefas previstas.

Na tentativa de amenizar essa situação, uma das aspirações legítimas da Força, comum a todos os níveis decisórios, optou-se pela busca da modernização, para otimizar as capacidades operacionais com base em novos equipamentos e procedimentos. Contudo, no cenário atualmente vivido pelo Exército, e para o futuro próximo, a adaptação e a modernização não proporcionam todas as respostas para as demandas operacionais que se apresentam, pois partem do pressuposto de que as atuais formas de atuação são adequadas.

A solução para a necessidade de manter o preparo e o emprego do Exército à frente dos novos desafios foi, então, encontrada no conceito de transformação, por exigir o desenvolvimento das novas capacidades para cumprir novas missões.

A decisão de lançar-se num processo de transformação normalmente encontra fortes resistências por, normalmente, implicar mudanças na cultura institucional e a alteração de paradigmas solidamente estabelecidos. Em nosso caso, alguns fatores facilitaram a decisão de transformar o Exército.

Primeiro, porque praticamente todos os exércitos ocidentais estavam em meio a processos semelhantes. Os Estados Unidos já haviam se transformado após a Guerra do Vietnã e novamente depois da Guerra do Golfo. Está atualmente em novo processo, desta vez com o intuito de manter-se tecnologicamente à frente dos chineses.

É interessante especularmos sobre o que fez da transformação um fenômeno mundial. O caso brasileiro é emblemático. Há 100 anos, éramos indutores do conhecimento e referência para vários setores da vida nacional: fomos pioneiros em setores tais como administração, estratégia, educação física, veterinária e, até mesmo, música.

Contudo, organismo fechado, de forte cultura institucional, aos poucos, fomos sendo superados. Essa tendência cresceu exponencialmente a partir da revolução tecnológica. Nosso conhecimento continuou evoluindo linearmente, enquanto o conhecimento geral seguia uma curva ascendente. À medida que o tempo passava, maior se tornava o distanciamento do mundo ao nosso redor. Isolados, íamos perdendo a sensibilidade necessária à compreensão da natureza dos conflitos em que atuávamos. Para recuperar esse espaço perdido, fazia-se necessária uma ruptura que somente a transformação proporcionaria.

No mundo, o que chamamos de transformação corresponde a mudanças que provoquem impacto na cultura institucional, por se tratar de uma ação complexa e condicionante do futuro das instituições, e tem merecido especial atenção de executivos de renome e produzido uma extensa literatura.

Outro facilitador do início do processo adveio da compreensão difusamente arraigada de que caminhávamos para a obsolescência e a irrelevância, exceto, felizmente, no que tange aos valores que encarnávamos perante a sociedade. Recordo que, durante um debate a respeito de sistemas logísticos, um oficial observou: "General, nós ainda descascamos batata em combate", caracterizando que ainda não dispúnhamos de processos modernos de fornecimento de alimentação.

Muito relevante, na época, foi a existência de um grupo de oficiais entusiastas da transformação, a começar por nosso comandante, general Enzo, seu chefe de gabinete, general Silva e Luna, mais tarde ministro da Defesa e o amigo querido, general Bolivar, então subcomandante de Operações. Bolivar, diariamente, passava por minha sala para travar "dois dedos de prosa" sobre a transformação. Pessoa especial, tinha uma maneira muito própria de encarar a vida e nossas questões profissionais.

Cumpriu um papel determinante o general Fernando Sérgio Galvão, na época chefe do Estado-Maior do Exército. Quando assumiu a função, entusiasmou-me verificar que a diretriz de comando inicial, que nos transmitiu, coincidia com o que estávamos elaborando. Ele foi o responsável pelo desencadeamento de todo o processo de transformação.

Um grupo importante de excelentes oficiais agiu como incentivador e colaborador do que realizávamos.

Na diretriz de implantação, foram estabelecidos "vetores de transformação". Um deles, o de engenharia e construção, já se encontrava à frente, graças ao espírito modernizador dos engenheiros, advindo das interfaces com o mundo civil.

Imaginei que poderíamos encontrar alguma resistência no Alto-Comando do Exército, pois estávamos invadindo a área de responsabilidade de todos os generais "quatro estrelas". Ao contrário, houve uma adesão unânime, sem a qual não teria sido possível nem mesmo dar início à implantação.

Em meio a esse contexto, um acontecimento serviu de gota d'água: o terremoto no Haiti, em janeiro de 2010. A ONU solicitou que, de imediato, o Brasil enviasse mais um batalhão, além do que já tínhamos desde 2004. Foram três semanas para aprontar a unidade, o que só foi possível graças a nossa experiência acumulada. Cento e quarenta e sete unidades contribuíram com pessoal e material, verdadeiro absurdo para um Exército de 220 mil integrantes. Se a sociedade brasileira tivesse atentado para isso, como justificaríamos os gastos com a defesa? "O *Livro Branco de Defesa da Espanha* – 2000 aponta que "Não há unidade mais cara do que a que não é capaz de combater com eficiência no momento em que é empregada".

Também no ambiente militar, produziram-se conceitos-chave para o êxito das transformações. O brigadeiro Covarrubias, do Exército do Chile, assinalou que "hoje as mudanças são tão rápidas que a adaptação, modernização ou transformação das Forças Armadas deverá ser uma atividade permanente e não resultante de planos adotados periodicamente". Ou seja, trata-se de um processo de ação permanente e não um projeto, com início, meio e fim. Evita-se, dessa maneira, o que alguém chamou de "efeito dinossauro." Animais enormes, mas sem capacidade de adaptação a eventuais mudanças ambientais. Quanto mais robusto e vultoso o projeto, mais ele tende a estratificar-se e a produzir nova estagnação.

Com o tempo, recorrentemente se apresentam algumas dificuldades. Ocorre, como um fenômeno natural, a resistência à mudança, pois as pessoas se sentem inseguras quando são forçadas a sair da respectiva "zona de conforto." As incertezas podem ser grandes, pois a transformação nos leva a excursionar por áreas onde há pouco ou nenhum conhecimento. Por outro lado, até que a transformação esteja implantada, há que se manter as capacidades atuais, ainda que superadas. Interessante também é verificar que, uma vez anunciado o processo de transformação, imediatamente se estabelece, no interior da organização, uma polarização entre presente e futuro, o que exige das lideranças um cuidado especial no sentido de priorizar o convencimento e a adoção de estímulos positivos, sem qualquer tipo de discriminação.

Relativo a essa questão, Jack Welch, antigo CEO da General Electric, caracterizou, com notável simplicidade, o que seria o ponto de partida de qualquer mudança: "A mudança não decorre simplesmente de *slogans* e discursos. Ela só acontece quando se colocam as pessoas certas nos lugares certos. Pessoas primeiro. Estratégia e todo o resto vêm depois."

Das experiências colhidas de fontes diversas, reunimos, ainda, o que seriam os erros a evitar no processo de transformação. Medo de errar é o primeiro e mais importante. O segundo é não transformar, ou seja, seguir fazendo "mais do mesmo", sob a ilusão de ter os processos sob controle, o que inexoravelmente leva a uma enorme perda de tempo, pois faz necessário que se aguarde o encerramento de um ciclo para então iniciar outro. Outro erro relevante é realizar a transformação por imposição externa, sob qualquer circunstância, no que seria chamado "trocar o pneu com o carro em movimento". Um erro frequente nos países desenvolvidos tem sido o tecnocentrismo, que gera uma dependência exagerada da tecnologia. A simplicidade é importante para que, horizontalmente, toda a organização seja capaz de compreendê-la, o que exige também o estabelecimento de objetivos claros. Deve-se evitar, também, o "efeito borboleta" (desde o depósito da larva até o momento em que o inseto voa, nenhum órgão se metamorfoseia independentemente dos demais), decorrente da não implementação linear em toda a Força. Finalmente, não formar uma massa crítica tenderá não só a manter o comando isolado, como também a provocar o "efeito dinossauro".

Quando assumi o comando do Exército, minha análise era de que a transformação já estava consolidada. Havíamos estabelecido interfaces externas que nos asseguravam caminhar *pari passu* com o mundo exterior.

Nosso principal indicador de sucesso não poderia deixar de vir da atividade-fim. Nossos militares, quando empregados, têm demonstrado aptidão para entender o contexto em que atuam, além de sólida capacidade de liderança e discernimento.

O plano de transformação, aceito pelo MD, nos trouxe outras demandas com forte impacto interno entre nós. Diferentemente da Marinha e da Força Aérea, nós não tínhamos projetos. Tratava-se de uma das consequências daquela atrofia do pensamento estratégico e da incapacidade de pensar em horizontes temporais distantes a que me referi. Tampouco, retínhamos a capacidade de gerenciar projetos de grande porte. Não contávamos com uma massa crítica e nem dominávamos os processos.

A solução foi então criar uma assessoria especial de projetos. Indiquei ao general Enzo o nome de alguns companheiros que eu julgava terem o perfil adequado para a tarefa. Para minha surpresa, o comandante me disse: "Quem vai assumir é você." Estava ainda esquentando o banco na Subchefia de Estratégia e visualizando incontáveis planos para o futuro. Eu sabia tanto de projetos complexos como de física quântica. Selecionei e levei comigo três excepcionais coronéis: Gomes da Costa, Adalmir e Laélio. Colaborou conosco em tempo integral o coronel Yasbeck. Capacidade de trabalho, inteligência, cultura geral, iniciativa, bom humor, franqueza, lealdade e fácil relacionamento foram os requisitos principais.

Noites e finais de semana foram necessárias para que saíssemos do zero. Normalmente nos reuníamos na casa do Adalmir, onde sua querida esposa, Rosa, nos abastecia permanentemente com deliciosos quitutes. Sempre acompanhados de uma cachacinha que os dois caipiras nos serviam. Gomes da Costa é hoje um empresário de sucesso em Brasília. Os outros três foram mais tarde promovidos e são generais. Meu orgulho por tê-los ombreado é proporcional ao meu reconhecimento para toda a vida.

Mais uma vez tivemos de recorrer a fontes externas, na FAB, na Marinha, Forças Armadas estrangeiras e grandes empresas. Para que se possa dimensionar a complexidade do assunto, existem em outros países cursos universitários sobre projetos de defesa. Atualmente, a Assessoria de Projetos amadureceu e conta com uma estrutura bem robusta. Anda, com frequência, ganhando prêmios de qualidade. Gerencia um amplo portfólio de grandes projetos muito importantes, uns pela relevância estratégica, como o sistema de mísseis e foguetes; outros, como o Sisfron [Sistema Integrado de Monitoramento de Fronteiras], que é crucial para o controle dos insumos que alimentam a criminalidade nos grandes centros. Infelizmente as restrições orçamentárias têm quebrado o ritmo de implementação. O Sisfron, cujo término de implantação era originalmente previsto para 2022, não deverá estar pronto antes da década de 2040.

Há um corolário, a partir desses projetos de elevado conteúdo tecnológico, para o qual concorre nosso sistema de ciência e tecnologia. Obtivemos uma avançada integração com sistemas civis. Consagramos a tríplice hélice: Exército, universidade e indústria, tirando proveito do fato de que, dificilmente, uma tecnologia militar deixará de ter emprego dual.

Durante os dois mandatos do presidente Lula, de 2003 a 2010, o senhor passa pela Amazônia, pela Escola de Aperfeiçoamento de Oficiais e pelo Estado-Maior do Exército, onde o senhor ficou três anos. O relacionamento da área militar com o governo Lula, com o presidente Lula, foi tranquilo?

Já abordamos esse assunto anteriormente. Faltou destacar que durante seu governo não houve iniciativas de implantação de indenizações por direitos políticos cassados, o que acabou se transformando numa indústria, nem, tampouco, Comissão da Verdade ou de revisão da Lei de Anistia.

O senhor foi comandante da EsAO de maio de 2006 a maio de 2008.

De 2006 a 2008, comandei a Escola de Aperfeiçoamento de Oficiais, onde as atividades didáticas transcorrem em torno de fundamentos doutrinários e de tática, sempre com um caráter prático. O comando da EsAO me trouxe satisfação e um senso de realização sem precedentes. Os capitães alunos tinham em média 30 anos. Parcela considerável era casada, muitos com filhos, ou seja, em paralelo ao vigor e entusiasmo próprios da juventude, traziam consigo um amadurecimento proporcionado pelas experiências que a carreira e a vida lhes incutiram. Que satisfação desfrutava em poder conviver com aquele riquíssimo universo!

À altura dos alunos, dispúnhamos de um corpo docente rigorosamente selecionado. Altamente motivado, conduzia as atividades de ensino com um esmero que invariavelmente beirava a excelência.

As vivências colhidas na EsAO viriam a ser úteis nas missões futuras. A perspectiva de comandante e diretor de ensino me fez ver o quanto a nossa doutrina operacional estava ultrapassada, um dos aspectos que tornaram patente a necessidade de transformação, que passamos a empreender quando, em abril de 2008, fui promovido a general de divisão e transferido para o Estado-Maior do Exército, tornando-me responsável pela doutrina e estratégia de Exército.

Na EsAO, vivi um evento ao mesmo tempo sensível e curioso. O general Heleno, então comandante da Amazônia, no decorrer de uma palestra no Clube Militar, afirmou que a política indigenista do governo (Lula) era uma catástrofe. A repercussão foi imediata, transcrita em todos os jornais. Também impactou o governo, gerando uma pequena crise. Os capitães da EsAO haviam sido alunos de Heleno quando de seu comando da Escola Preparatória de Cadetes em Campinas e, sobre eles, o Heleno exerce uma sólida liderança. Numa sexta-feira, o coronel Viana Peres, chefe da Divisão de Ensino, entrou em minha sala com ar preocupado e me comunicou que os alunos estavam preparando um manifesto em apoio ao general.

Liguei para o Heleno, contei-lhe o que estava acontecendo e ainda brinquei: "Olha o abacaxi que você me arranjou!" Riu muito e pediu que os capitães não o fizessem, pois, além de não contribuir para superar o problema, forneceriam argumentos aos que tentavam acusá-lo de estimular a indisciplina. Reuni toda a escola – cerca de 500 integrantes – e mostrei-lhes que um militar tem duas formas de se manifestar. Coletivamente, por intermédio de seu comandante, e se por escrito, em caráter individual. Comprometi-me a levar ao escalão superior, bem como a encaminhar os argumentos escritos dos que insistissem em fazê-lo. Cumpri aquilo com que havia me comprometido, evitando, dessa forma, qualquer tipo de extrapolação do tema.

O comando da EsAO me propiciou, adicionalmente, uma experiência enriquecedora e prazerosa. Pude conviver, quase que diariamente, com o general de divisão Rui Monarca da Silveira, comandante da tradicional 1ª Divisão de Exército, herdeira das tradições da Força Expedicionária Brasileira (FEB). Os quartéis eram vizinhos, e ele mandara abrir um portão que comunicava internamente as duas unidades. Bem-humorado, possuidor de sólida cultura profissional, descobrimos uma grande identidade. De nossas conversas, brotaram muitas ideias que apliquei na EsAO e, posteriormente, na transformação do Exército. Nossos bate-papos, dependendo da hora, eram animados por uma cachacinha. Trabalhava no Palácio Duque de Caxias um veterano da FEB, general Ventura, agora falecido. Bem velhinho, era colecionador de pinga, possuindo enorme acervo. Proibido de consumir álcool, elegeu ao Rui e a mim como seus herdeiros. Jamais deixou de dar umas bebericadas às escondidas. Sempre que o visitávamos, saíamos com alguma "preciosidade". O força especial Rui foi depois promovido a general de exército e mandado chefiar o Departamento de Educação e Cultura do Exército [DECEx], onde implantou concepções modernizadoras.

O comando da EsAO trouxe-me ainda a feliz oportunidade de explorar e transmitir aos alunos conceitos e experiências vividas ao longo da carreira. Nada de extraordinário ou que as pessoas não cultivem. Como dizia a eles, não vou aqui revelar "o terceiro segredo de Fátima".

Falei-lhes muito sobre liderança. Embora seja um dos temas mais abordados pela literatura militar, salvo engano, nunca encontrei referências à importância do tratamento direto, entre as pessoas, parâmetro que se aplica desde a liderança de pequenos grupos até o nível político-estratégico. Esse fundamento é ainda mais essencial entre nós, brasileiros, pois somos um povo afetivo e caloroso. Por essa razão, sempre que abordava esse assunto com os subordinados, sublinhava a importância de, pelo menos uma vez ao dia, considerarmos a pessoa que estava dentro do uniforme.

Cada ser humano é único e centro do seu universo. Quando chega para trabalhar, vem imerso em suas próprias circunstâncias, problemas, frustrações, anseios e objetivos, tanto quanto nós. Por isso, é necessário penetrar em seu mundo, estabelecendo alguma ponte para tal. Algo que faça você e ele se identificarem. Podemos usar coisas simples como o fato de serem conterrâneos, ou torcerem para o mesmo time, ou ainda, por conhecerem uma mesma pessoa. Essa espécie de cumplicidade pode evitar frustrações, sentimento de desimportância e falta de comprometimento. Tem o poder de encorajar o subordinado a relatar e pedir auxílio diante de um problema grave que o aflige. É terrível constatar que alguns não conseguem transpor a barreira da diferença hierárquica, para levar ao comandante um problema muitas vezes seríssimo. Ademais, "tratar com camaradagem os irmãos de arma e com bondade os subordinados" faz parte do primeiro juramento prestado quando se ingressa no Exército.

Falava-lhes também sobre a felicidade. Um propósito comum a todos os seres humanos está em sua busca. Faz parte da natureza humana, sem que absolutamente exista um modelo único que se aplique a mais de um indivíduo. Aos subordinados e famílias, transmitia algumas observações colhidas por experiência própria ou de terceiros. A principal constatação está em que ela, a felicidade, reside nas coisas simples do dia a dia: vamos encontrá-la no caminho e não no destino, se esconde onde a colocamos, não onde a procuramos e, mais importante, está à nossa disposição dentro de nós.

Segundo Marlena de Blasi, escritora ítalo-americana, todas as coisas importantes da vida são portáteis e as construímos aos poucos todos os dias. Essa constatação é primordial para nós, militares, que estamos sempre de passagem pelos lugares. Minha própria experiência me trouxe essa compreensão. Na Academia, eu vivia suspirando por terminá-la; em Porto Alegre, sentia saudades da Aman, e, em Natal, de Porto Alegre. Ocorreu-me então: será sempre assim? Minha carreira deve durar, no mínimo, 30 anos; o que me restará quando chegar ao final? Essa preocupação devemos passar para a família. Posso ser tão feliz em Querari quanto no Rio de Janeiro, em Corumbá como em São Paulo. Da mesma forma, é fazendo um pouco a cada dia, com simplicidade, diligência e constância, que vamos construir edifícios sólidos de todas as coisas importantes: a família, a educação dos filhos, as amizades, o preparo físico, a saúde, a cultura, o patrimônio e outros aspectos que, normalmente, dominam nossa preocupação. Igualmente importante é a precaução de jamais colocá-las em risco, pois pode-se não dispor de tempo para reconstruí-las.

Sobre bom humor, os leitores podem ter notado que, com frequência, destaco nas pessoas essa qualidade. Dizem que quando há humor é porque se está dizendo a verdade e que qualquer assunto, por mais sério que seja, pode ser acompanhado por uma pitada de bom humor. Não sei trabalhar com gente "de maus bofes". O bom humor facilita os relacionamentos, estimula a criatividade, contribui para o bom ambiente e torna a vida mais leve. No mundo moderno, um inimigo do bom humor tem sido o politicamente correto, que resulta na inibição da espontaneidade e da criatividade. Bom humor, contudo, não significa licença para ser irresponsável, inconveniente ou inoportuno.

Por onde passei, em minhas diretrizes de comando, o primeiro item prescrevia: "Vamos trabalhar com alegria, e muito."

Alguém poderia perguntar: por que não muito e com alegria?

Porque temos outros compromissos, além do trabalho. Primeiro, em relação à família. Atenção aos filhos! Eles materializam o tempo. Cada etapa do desenvolvimento da criança deve ser vivida conforme suas especificidades. Se você perde uma fase, por imposições do serviço ou por alguma outra razão, não há como recuperá-la. O que se tem que fazer é viver intensamente a fase seguinte.

Em segundo, vem a preocupação conosco próprios. Temos de reservar tempo para lazer, para nos dedicarmos a um *hobby*, para cuidarmos de nosso crescimento individual e dos relacionamentos.

Claro está que estou me referindo a períodos de normalidade, em que as rotinas são seguidas naturalmente. Sempre haverá épocas em que o trabalho inevitavelmente se intensificará ou exigirá afastamentos prolongados.

Um assunto crítico para nós diz respeito à segurança dos subordinados. Uma das circunstâncias mais desgastantes, para não dizer trágicas, que eventualmente nos ocorrem, é a de entregar o corpo de um subordinado à família, por morte em acidente de serviço. Não há justificativa que substitua uma vida. Quem já passou por isso entende perfeitamente o que significa. Felizmente, nosso índice de acidentes tem sido baixo, se considerarmos o efetivo e a frequência com que executamos atividades de risco.

Desde que as mídias passaram a transmitir, em tempo real, o que acontece nos campos de batalha, as mortes nas guerras deixaram de ser admitidas como uma decorrência natural. Se, na preparação de uma operação, constatarmos a possibilidade de que ocorram taxas elevadas de mortos e feridos, o planejamento será modificado ou a missão será cancelada.

Temos de nos aferrar às normas de segurança e aos cuidados de todo tipo para que, diante de uma fatalidade, pelo menos possamos estar com nossa consciência em paz.

Ao concluir o comando da escola, homenageei os capitães com o que imaginava

"Ser capitão

É já temperado pela experiência, fazer do entusiasmo sua principal ferramenta de trabalho.

É apontar caminhos e percorrê-los à frente.

É aprender a fazer e saber ensinar.

É fazer o difícil parecer fácil e o fácil parecer importante.

É proporcionar confiança ao inexperiente e ao experiente o entusiasmo do iniciante.

É assessorar com lealdade.

É planejar e executar junto àqueles a quem comanda.

É fazer justiça como uma prerrogativa sagrada.

É usar a razão com sentimento e os sentimentos sem a perda da razão.

É angariar a confiança dos subordinados e o respeito dos superiores.

É ser o primeiro a despertar e o último a repousar.

É alimentar-se depois e estar seguro de que todos já o fizeram.

É cuidar de cada subordinado como de um filho.

É levar para o combate filhos de outros pais e cuidar de suas vidas como das dos seus.

É cumprir o doloroso dever de escrever a carta fatal.

É manter o moral elevado na derrota e transformá-la na semente da próxima vitória.

É não se deixar abater e manter a serenidade e, quando tudo parece perdido, é não esmorecer e encorajar.

É exercer sua profissão como um sacerdócio; por entender não ser outro o desígnio de quem se destina a conduzir seres humanos rumo ao desafio da morte.

É saber-se detentor da prerrogativa de trabalhar com a mais importante matéria-prima de uma nação – o entusiasmo de sua juventude.

Ser capitão, enfim, é comandar pela liderança e liderar pelo exemplo."

10
Anistia, Comissão da Verdade e memória histórica

Era revanchismo, sem dúvida, pela maneira como foi conduzido.

No final de julho de 2011, o senhor é promovido ao último posto da carreira, general de exército, já no início do primeiro ano da presidente Dilma. Esse relacionamento tranquilo entre governo e Forças Armadas mudou no governo Dilma?

O general Enzo era o comandante durante o primeiro mandato da presidente Dilma. Eu assumi a partir do segundo período. Ela sempre demonstrou grande respeito pelas Forças. Não era incomum nos apontar, perante integrantes do governo, como padrão de eficiência, causando-nos constrangimento.

O general Enzo esteve muito absorvido no acompanhamento dos trabalhos da Comissão da Verdade e suas inúmeras solicitações, que recebiam especial atenção do ministro da Defesa da época, Celso Amorim.

O ministro Amorim era especialmente sensível a essas questões e sentia-se desconfortável em sustentar as posições das Forças, o que gerou alguns desgastes que não tiveram gravidade maior graças à reconhecida "firmeza serena" do comandante. O ministro me dava a impressão de nunca ter se sentido à vontade no cargo. Praticamente o confessou quando da despedida da função. Em suas palavras, afirmou que a missão havia sido muito difícil.

Decepcionou-me quando ele, fora do ministério, afirmou que um grande exercício multinacional de acolhida de refugiados, na tríplice fronteira entre Brasil, Peru e Colômbia, por contar com a participação de americanos, demonstrava a submissão de nossa política externa aos Estados Unidos. Essa operação, apelidada de Amazonlog 17, Exercício Multinacional Interagências de Logística Humanitária, reuniu participantes do Brasil, Colômbia, Peru e Estados Unidos, além de observadores militares de 22 nações amigas, integrantes de agências governamentais brasileiras, estrangeiras e representantes de empresas de material de emprego militar de uso dual (civil-militar). Era tão abrangente, complexa, com problemas logísticos dificílimos, causados pelas distâncias continentais e pela precariedade da infraestrutura de transporte, que os integrantes do Alto-Comando a ela se referiam como "mundo *log*". Viabilizou-se graças à determinação do general Guilherme Theophilo e à criatividade do general Pazuello. Este amazonense, logo depois, foi designado para comandar a Operação Acolhida, levando as experiências reunidas no Amazonlog. Pazuello garantiu o êxito da recepção, triagem, abrigo, saúde, alimentação e interiorização de milhares de venezuelanos. Sem falsa modéstia, fez com que nos tornássemos referência mundial.

Retornando à Comissão da Verdade, ela acabou sendo uma oportunidade perdida no sentido de colocar um fim nas desavenças em torno dos crimes cometidos durante a luta armada, questão essencial e inadiável para um país que necessita recuperar urgentemente a coesão e o sentido de projeto. Uma vez implantada, contudo, as medidas iniciais nos frustraram e despertaram algumas preocupações. Integrada somente por representantes da esquerda, no nosso entender, perdeu a legitimidade ao restringir as averiguações ao período dos governos militares e ao universo dos agentes do governo. A lei que a criou, originalmente, abrangia o período desde 1946 e não somente aos agentes de Estado. Tinha, portanto, um claro viés revanchista, criando em nós, embora não de forma intensa, uma espécie de "revanchismo ao contrário".

Revanchismo ao contrário? Como assim?

Alguns fatores: em primeiro lugar porque os grupos armados provocaram cerca de 140 mortes, entre militares, civis inocentes e até entre eles próprios. Segundo, porque a metodologia empregada nas averiguações carece de critérios técnicos, além de não estabelecer direito ao contraditório. Nenhum historiador fez parte da comissão.

Por fim, porque o relatório final, consequentemente, trouxe verdadeiros absurdos. Desmoralizou-se ao responsabilizar figuras históricas do vulto de Castelo Branco e Eduardo Gomes. O pai do general Etchegoyen, Leo Etchegoyen, foi igualmente relacionado sem que a ninguém da família fosse dado o direito de manifestar-se.

Uma dúvida que sempre fica é em que medida isso refletia o sentimento interno da Força. Ou se havia uma diferença geracional, entre as pessoas mais antigas, do Clube Militar, que tiveram envolvimento no período do regime militar, e os oficiais na ativa, de outra geração, principalmente nos escalões abaixo do generalato, que já não tinham vivido esse período. Sobre essa diferença geracional, seria correto dizer que o pessoal mais antigo ainda tinha a memória desse período e que para o pessoal mais novo esse período já era história?

Em todas as instituições, vamos encontrar o que você chamou de diferença geracional. O próprio ambiente familiar a contém. Quando exacerbada, transforma-se em choque de gerações. É natural que no ambiente militar esse fenômeno igualmente ocorra. Contudo, nas Forças Armadas existe um fio condutor capaz de assegurar que a sucessão de gerações tenha um caráter evolutivo isento de confrontações. Refiro-me aos valores imutáveis, entre eles o comprometimento em relação aos camaradas e à casa comum – Exército.

Por outro lado, a visão e o posicionamento em torno de um episódio histórico são, naturalmente, condicionados pelo protagonismo vivido por cada geração. Portanto, o pessoal que viveu os episódios de [19]64 e da luta armada tem uma visão mais crítica do que as gerações seguintes em relação aos desdobramentos que os fatos eventualmente produzam nos dias atuais. É importante observar que o apego à disciplina e à lealdade tem sido capaz de evitar que os posicionamentos individuais a eles se superponham. Sou muito grato aos mais antigos – geração de meus instrutores e comandantes – pela fidelidade aos princípios que me ensinaram.

Em 2007, a Comissão de Anistia promoveu o ex-capitão Carlos Lamarca a coronel, post-mortem. Isso gerou alguma repercussão?

Eu era aluno da Escola Preparatória de Cadetes quando Lamarca desertou. Sua atitude feriu o entusiasmo e o idealismo próprios da juventude. Veio depois o episódio do Vale do Ribeira, em que ele matou a coronhadas um tenente da Polícia Militar que caíra prisioneiro.[17] Ele foi depois para o interior da Bahia tentar estabelecer uma base de guerrilha, onde foi morto. Lamarca produziu entre os militares, ao tempo de sua militância, uma forte indignação, pois representou uma traição a todos nós. Suas atitudes contribuíram para fortalecer o sentimento anticomunista nas Forças. As gerações posteriores têm, em relação àquele episódio, um distanciamento natural, pois lá se vão 50 anos. A promoção em si foi um fato menor, de certa forma, já esperado, por tudo que a Comissão de Anistia vinha produzindo.

Mas já se haviam passado 40 anos entre ele desertar do Exército e ter essa reparação. Sua sensação é de que esses atos que envolveram a Comissão da Verdade, de anistia, essa promoção e outros fatos que ocorreram eram uma espécie de revanchismo ou era, vamos dizer, um ajuste histórico, que isso ia passar? Qual era o sentimento?

Já abordamos o tema do que chamei de revanchismo ao contrário. Decorridos os governos Temer e, agora, Bolsonaro, temos esperança de que essas questões fiquem para serem retomadas com maior

---

17. Carlos Lamarca (1937-1971) foi um militar brasileiro que desertou em 1969, tornando-se um dos líderes da Vanguarda Popular Revolucionária (VPR). Após a deserção, Lamarca montou uma célula de treinamento para a guerrilha no Vale da Ribeira, região sul do estado de São Paulo. Num confronto com a Polícia Militar, em 1970, os guerrilheiros fizeram prisioneiro o tenente PM Alberto Mendes Júnior, que posteriormente decidiram matar a coronhadas de fuzil, e não a tiros, para não chamar a atenção das tropas do Exército e da PM que os cercavam.

isenção quando as gerações que os viveram já tenham passado. Me preocupa uma eventual volta ao poder pela esquerda e que ocorra o que disse Tayreland sobre os Bourbon: "Não aprendem e também não esquecem."

Recentemente, alguém ligado aos direitos humanos trouxe à tona um tópico sobre o qual nunca ouvi falar, de que cento e tantas crianças teriam sido sequestradas e afastadas dos pais.[18] Essa e outras narrativas, a exemplo de um suposto massacre de índios, na abertura da BR-174, que liga Manaus a Boa Vista, carecem de verossimilhança e contribuem para a falta de isenção na conclusão das apurações. Como você disse, adquirem um caráter de ajuste histórico.

O presidente Bolsonaro trocou quatro dos sete integrantes da Comissão.[19] O senhor acha que essas questões vão continuar presentes?

Até poderão continuar presentes, mas, agora, com maior isenção, pois será possível um contraponto nos debates.

Outro aspecto que recorrentemente vinha à tona era a questão do pedido de desculpas que o Exército deveria à sociedade brasileira. Por várias vezes, fomos instados a fazê-lo, ressaltando que nenhuma delas teve caráter oficial, isto é, vindas do governo ou do Ministério da Defesa. Originaram-se em pessoas ou grupos da esquerda.

---

18. No início de 2019, foi publicado o livro *Cativeiro sem fim: as histórias dos bebês, crianças e adolescentes sequestrados pela ditadura militar no Brasil*, do jornalista Eduardo Reina (Alameda Casa Editorial). O autor denunciou casos de menores que teriam sido sequestrados e adotados ilegalmente por famílias de militares ou famílias ligadas às Forças Armadas.

19. No dia 1º de agosto de 2019 foram trocados quatro dos sete integrantes da Comissão Especial sobre Mortos e Desaparecidos Políticos (CEMDP). Nesse dia, em declaração pública, o presidente justificou a mudança dizendo que: "O motivo [é] que mudou o presidente, agora é o Jair Bolsonaro, de direita. Ponto final. Quando eles [governos anteriores] botavam terrorista lá, ninguém falava nada. Agora mudou o presidente."

Nós estudamos detalhadamente o desenvolvimento dos processos em andamento na Argentina e no Chile. Deles extraímos duas conclusões relevantes. A sequência dos eventos no Brasil estava repetindo o que se cumpriu naqueles países, desde as indenizações até a revisão da Lei da Anistia, passando pela Comissão da Verdade. Em um e outro, houve comandantes que apresentaram pedidos de desculpas, no pressuposto de que com essa atitude estariam colocando um ponto final nos processos. Pelo contrário: esses pedidos foram considerados confissão de culpa, motivando a intensificação dos procedimentos de investigação. Internamente, nos respectivos exércitos, isso afetou seriamente a autoestima institucional. Na Argentina, adotaram um critério por eles designado como *"portadores de apellido"*,[20] segundo o qual os militares descendentes de alguém condenado por participação na repressão têm suas carreiras abreviadas, impedindo-os de exercer funções relevantes.

Sobre o pedido de desculpas, expliquei ao Pedro Bial, quando me entrevistou. Perguntou-me sobre o porquê de não pedirmos desculpas. Expliquei a ele que aquele havia sido um período conturbado da história. Naquele contexto da Guerra Fria, vários atores se digladiaram, cada um seguindo motivações mais ou menos legítimas. A se materializar um eventual reconhecimento por parte dos militares, seria justo sentarem-se em torno de uma mesa todos os protagonistas do período. Estariam aí, como ponto de partida, representantes dos governos da União Soviética, China, Cuba e Estados Unidos? E as demais instituições de Estado, as organizações terroristas, partidos políticos e agentes individuais, alguns ainda com participação ativa na sociedade? Ademais, o presidente Fernando Henrique Cardoso já reconheceu o Estado como o responsável pelos fatos ocorridos.

---

20. *"Apellido"*, em espanhol, significa sobrenome.

O senhor falou que sua geração, formada no contexto da Guerra Fria, foi muito marcada ideologicamente pelo anticomunismo. Só que depois teve o processo de abertura, a transição para a Nova República e o fim da Guerra Fria. Pessoas que eram de esquerda assumiram postos no governo, as Forças Armadas conviveram bem com elas nesse período, no sentido de que não houve motins, tentativas de golpe, manifestos de pessoal da ativa – coisas que, na história republicana do Brasil, sempre aconteceram. As Forças Armadas conviveram bem com pessoas que tiveram uma formação ideológica de esquerda. No entanto, no final do governo Dilma, no contexto das eleições de 2018 e no início do governo Bolsonaro, a impressão que dá é que esse anticomunismo, se era um sentimento, vamos dizer, pessoal, tornou-se mais explicitamente uma questão institucional, corporativa. Ou não? Estou fazendo uma leitura errada?

Viveu-se, no final do século XIX e nas décadas iniciais do século XX, um período extremamente conturbado. A política penetrou nos quartéis, provocando danos à disciplina e desviando os militares das rotinas castrenses. A questão militar, o positivismo, a proclamação da República, as revoluções de 1930 e 32 estabeleceram uma sequência de eventos com poder de provocar rupturas no seio das Forças. Veio então a Intentona Comunista, em que o Exército assistiu, perplexo, à ideologia prevalecer como parâmetro de comprometimento e lealdade. Esse episódio foi determinante para a consolidação do sentimento anticomunista entre os militares.

Vieram então as agitações da década de [19]60, as quais, para uma perfeita compreensão, devem ser consideradas sob o pano de fundo da Guerra Fria. Mais uma vez, a esquerda empurrou os militares para uma postura anticomunista. Cometeu o erro crasso de provocar fraturas, tanto verticais quanto horizontais, no estamento militar. Veio em seguida a luta armada, outro forte fator de polarização e, até mesmo, de radicalização. Foram necessários muitos anos para que, internamente, esses danos fossem reparados.

As gerações mais novas vivem um ambiente distinto. A queda do muro de Berlim e a derrocada do comunismo fizeram com que essas questões deixassem de fazer parte de suas preocupações. Eles, assim como o Exército institucionalmente, sem esquecer as lições que a história proporcionou, vivem voltados para o futuro, totalmente imersos nas questões profissionais.

Os governos do PT, a despeito de nos terem proporcionado algum alívio orçamentário, foram aos poucos desencantando aqueles em quem despertaram algum otimismo inicial. Os casos gravíssimos de corrupção, a progressiva deterioração da economia, a falta de visão de Estado, a Comissão da Verdade e a autocrítica do PT, documento elaborado em maio de 2016, pelo diretório de São Paulo, no qual reconhecem como erros não terem alterado os currículos das escolas militares, bem como por não terem interferido nas promoções provocaram um sentimento não simpático à esquerda em geral. Determinante, também, foi o fato de a esquerda, com pautas esvaziadas desde a queda do comunismo, terem aderido ao "politicamente correto."

Esse conjunto de pensamentos espraiou-se por nossa sociedade, estimulado pela militância da esquerda. Um religioso adepto da teologia da libertação esclareceu essa motivação. Afirma ele que o combate ao capitalismo com base na luta de classes tem a desvantagem de colocar as classes em oposição, ao passo que, se calcado no ambientalismo, alinha todas as classes harmonicamente. Será alguém contrário à preservação ambiental ou à proteção dos índios?

O politicamente correto adquiriu um caráter de ideologia. A partir daí, como todas elas, passou a empenhar todas as energias e recursos no seu próprio fortalecimento. Em decorrência, tem dificuldades para enxergar e interpretar a realidade, não se importando com os resultados produzidos. Produz ainda uma espécie de miopia, que impede de considerar alguns aspectos que contradizem os próprios princípios de quem os professa. Transformou-se em ferramenta de ação do moderno imperialismo; basta ver os países que sobressaem em sua aplicação.

O ministro Aldo Rebelo a chama de teoria da separatividade, pois destrói nossa coesão social. Tem a intenção de obrigar que todos pensem da mesma maneira. Um jornalista americano já falecido, Walter Lippmann, assinalou que, quando todos pensam igualmente, é porque ninguém está pensando. Ademais, tende a, repetidamente, fazer "mais do mesmo", alimentando-se da própria falta de resultados. Quanto maior a ênfase, por exemplo, nas teorias de gênero, maior a homofobia; quanto mais igualdade de gêneros, mais cresce o feminicídio; quanto mais se combate a discriminação racial, mais ela se intensifica; quanto maior o ambientalismo, mais se agride o meio ambiente; e quanto mais forte o indigenismo, pior se tornam as condições de vida de nossos índios.

Os indivíduos passaram a ter valor exclusivamente a partir de sua militância ou da identificação com alguns desses grupos. Não se apercebem que, na verdade, estamos carentes de valores universais, que igualem as pessoas pela condição humana, acima da classificação aleatória que se lhes atribui.

Em relação à presidente Dilma, havia alguma resistência ou incômodo com ela por ter participado no passado da luta armada?

Não. Convivemos em harmonia com ela e com outros participantes da luta armada. Um exemplo emblemático foi José Genoíno, que, enquanto deputado, sempre se posicionou a nosso favor, inclusive em relação à Lei de Anistia.

11
Governo Dilma

Ela nos pegou de surpresa, despertando um sentimento de traição em relação ao governo. Foi uma facada nas costas.

O senhor é promovido a general de exército, que é o posto máximo da carreira, em julho de 2011, vai comandar a Amazônia; depois, passa um período mais curto no COTer. Foram quase três anos na Amazônia e um ano no COTer. Aí o senhor foi nomeado comandante em janeiro de 2015, no início do segundo mandato da presidente Dilma. Como o senhor teve contato com a presidente?

Creio que foi em decorrência de um incidente totalmente aleatório. Em 2015, houve um problema envolvendo os índios Tenharim e a população da cidade de Humaitá. A sede desse município é a última sobre a Transamazônica, ainda no estado do Amazonas. Está à margem do rio Madeira, que, uma vez transposto, obrigatoriamente de balsa, nos coloca no Pará. Percorrendo a rodovia, 70 quilômetros para leste, vamos encontrar a aldeia dos índios Tenharim. Mais 100 quilômetros na mesma direção está Apuí, um município totalmente agrícola, com forte presença de sulistas. Os indígenas vivem em uma estreita dependência de Humaitá, onde muitos trabalham, outros estudam, buscam atendimento de saúde e todos, em geral, fazem suas compras.

Vivia-se um fator de atrito permanente envolvendo aquelas populações. Desde alguns anos, os índios haviam estabelecido um pedágio, totalmente irregular, obrigando todos que por ali transitavam ao pagamento de uma taxa de R$ 30,00 para carros de passeio e de R$ 120,00 para caminhões. Logicamente, o pagamento dessa taxa causava descontentamento e até revolta entre as populações dos dois municípios, agravada pela conduta violenta dos índios contra aqueles que se recusassem a efetuar o pagamento.

Estimulados pelo que auferiam no pedágio e por comodidade, os Tenharim viram alterados alguns de seus costumes originais, o que os deixou dependentes do dinheiro arrecadado. Modificaram-se inclusive nos hábitos alimentares, pois passaram a não caçar, pescar e a dedicar-se às roças para a produção de alimentos.

Em meio a essa conjuntura, um carro com três ocupantes, saindo de Humaitá em direção a Apuí desapareceu com os passageiros. Os ânimos em Humaitá começaram a acirrar-se a partir do relato de alguém que teria visto um carro ser empurrado para o interior da aldeia. A Polícia Federal enviou um delegado com a atribuição restrita de tomar pé da situação. Em pouco tempo, o delegado retornou para Porto Velho, sem apresentar resultado algum. Esse foi o estopim para o desencadeamento da violência em Humaitá. A população enfurecida incendiou a sede da Funai e os veículos ali estacionados. Dali dirigiu-se para o hospital municipal, onde uma grande quantidade de índios convalescia. A oportuna iniciativa do comandante do 54º Batalhão de Infantaria de Selva, que providenciou a retirada dos índios para o interior do aquartelamento, provavelmente evitou uma catástrofe. O comandante da 16ª Brigada de Infantaria de Selva, o amigo, ex-cadete e cearense general Poty, mantinha-me informado sobre o andamento dos fatos. A essa altura, a imprensa nacional já estava promovendo uma ampla cobertura, explorando as mais diferentes versões.

Resolvi ir a Humaitá e às aldeias para, pessoalmente, assenhorear-me dos detalhes relativos ao que estava ocorrendo. Em Humaitá, entrevistei-me com o prefeito, o bispo, representantes da população revoltada e, principalmente, com familiares dos rapazes desaparecidos, o que me permitiu constatar que o sentimento de indignação mantinha a disposição para novos atos de violência. Em seguida, acompanhado pelos comandantes da brigada e do batalhão, fomos visitar a aldeia. Ao lá chegar, de imediato percebi indícios da estreita dependência do dinheiro que o pedágio estabelecera. Em cada maloca havia todo tipo de utensílios modernos, inclusive TV de tela plana. Compreendi que a tarefa de convencê-los a suspender o pedágio não seria fácil. Fui muito bem recebido pelos líderes, que me levaram para um grande tapiri, onde promoveram uma assembleia. Houve uma grande aglomeração, minuciosamente acompanhada pelos repórteres.

Em meio aos indígenas, em geral, há sempre uma igualdade entre os líderes das aldeias, não importando quantas existam. Todas exigem falar. Estabeleci como condição básica para o prosseguimento dos diálogos a interrupção da cobrança que faziam. Ouvi pacientemente todos os tuxauas [chefes] se manifestarem, uns mais, outros menos exaltados. Basicamente reivindicavam apoio para atividades que lhes proporcionassem não só subsistência, como também algum excedente. Percebi também a ausência de representantes da Funai ou de ONGs.

Ao perguntar-lhes, ouvi como resposta que o funcionário da Funai estava desaparecido desde os incidentes e que as ONGs foram expulsas, pois se sentiam por elas explorados. As principais queixas recaíam sobre o Ibama [Instituto Brasileiro do Meio Ambiente e dos Recursos Naturais Renováveis]. A reserva, além de terra indígena, estava demarcada também como unidade de conservação. Estavam, portanto, impedidos de desmatar, o que lhes retirava a possibilidade de plantar e usar madeira para qualquer fim. Queixas dessa natureza são recorrentes entre os índios em geral.

Prometi levar esses anseios para o governo. Mostraram-se satisfeitos e, colocando-me um cocar, posamos para fotos. Ao sair, fui cercado pelos jornalistas, a quem disse, brincando: "O correspondente do jornal que estampar essa foto na primeira página vai parar dentro do rio Madeira." Nenhuma foto foi publicada.

Retornei a Manaus e um dia depois fui convocado para uma reunião no Palácio da Alvorada. Participaram o vice-presidente; a chefe da Casa Civil, Gleisi Hoffman; o ministro da Justiça, José Eduardo Cardozo; o ministro da Defesa, Celso Amorim; o brigadeiro Machado, representando o chefe do Estado-Maior Conjunto das Forças Armadas; um integrante da Secretaria-Geral da Presidência da República; eu e a presidente Dilma, que estava com um forte resfriado e um tanto impaciente.

Nem bem havíamos nos sentado, ela perguntou: "Gleisi, qual é a pauta?" A ministra respondeu: "Tratar do problema dos índios Tenharim." "Não, Gleisi, vamos *resolver* o problema dos índios." Entendi que ela estava se referindo também aos índios do Maranhão que, na véspera, haviam derrubado torres de transmissão de energia. Ato contínuo, dirigiu-se ao ministro da Justiça: "Cardozo, você já demitiu o representante da Funai?" A resposta do Ministro, "Estamos providenciando", a deixou ainda mais impaciente. "Não, Cardozo. Aqui não tem gerúndio. Quero a nota de demissão sobre a minha mesa hoje!" Voltando-se para mim, perguntou: "General, o que houve lá?" Relatei todos os detalhes do ocorrido, bem como as providências que eu tinha adiantado. Ela se mostrou satisfeita e determinou: "Vá lá e resolva o problema." E eu: "Posso falar em seu nome?" "Pode!", respondeu ela.

O ministro Amorim interveio, dizendo que problema indígena não era de responsabilidade do Exército. Novamente impaciente, ela atalhou: "Amorim, você não está entendendo! Só o Exército tem autoridade para isso, mais nenhuma instituição." Passando a mão sobre o ombro arrematou: "Vá lá com suas estrelas e resolva!"

Solicitei uma equipe multidisciplinar sob a liderança da Secretaria de Governo, que fez um excelente trabalho de levantamento de alguns projetos que viabilizassem o sustento daquelas comunidades. O ministro Cardozo ficou muito agradecido, até porque, na segunda reunião, os índios exigiram sua presença, do que eu consegui demovê-los.

O ministro Cardozo acabou sendo um excelente interlocutor. Mais tarde, contou-me que minha escolha para o comando [do Exército] se deu em razão do episódio dos Tenharim.

Bastante curiosas foram as interpretações que transitaram nas mídias sociais em relação aos motivos de minha nomeação. Eu teria sido mandado à China, onde fui adido militar de 1992 a 94, para frequentar cursos de preparação para integrar um governo de esquerda. O mesmo teria se dado com o brigadeiro Rossato, por ter sido adido na Venezuela.

Foi o único momento que o senhor teve contato com a presidente, antes do comando?

Depois que assumi o comando, estive com ela inúmeras vezes: despachos de promoção, solenidades, reuniões no palácio e algumas viagens. Ela sempre me tratando com a maior deferência, assim como fez com o general Enzo.

Seu período como comandante do Exército, de quase quatro anos, foi muito conturbado politicamente. Em maio de 2016, o processo do impeachment foi instaurado; ele tinha começado em dezembro de 2015, quando Eduardo Cunha, então presidente da Câmara, aceitou uma denúncia. Temer assumiu. Depois ocorreram os episódios daquela gravação dele com o empresário Joesley Batista, a prisão de Lula, as eleições gerais de 2018. Então, o senhor atravessou um período politicamente muito conturbado, muito sensível.

Nesse período de ambiente conturbado, meu objetivo inicial foi garantir a coesão da Força. Recebi o Exército altamente disciplinado, fruto da condução de meus antecessores. Cada um viveu sua conjuntura própria.

A despeito da instabilidade do ambiente político, o Exército seguiu uma trajetória retilínea. O general Etchegoyen costuma dizer que, desde a redemocratização, o Exército não foi responsável por nenhum problema para o país, por mínimo que seja.

Devemos muito aos comandantes que me antecederam. O general Leônidas foi o fiador da transição, garantindo a posse do presidente Sarney, sem considerar a visão estratégica e modernizadora que marcou sua administração. Seguiu-se o ministro Tinoco, que viveu todas as incertezas do processo de *impeachment* do presidente Collor. Quando o presidente Itamar Franco tomou posse, levou consigo o ministro Zenildo. A partir de então, passamos a sofrer os efeitos das sucessivas crises econômicas. O ministro Zenildo priorizou, pela impossibilidade de elevar os soldos, a capacidade de atendimento às necessidades de bem-estar dos militares e familiares. Voltou-se para os colégios militares, sistema de atendimento médico, hotéis de trânsito, clubes e áreas de lazer.

No segundo período do presidente Fernando Henrique Cardoso, as medidas para a obtenção do superávit obrigaram o general Gleuber a adotar o meio expediente e a dispensa antecipada do contingente incorporado no início daquele ano. Inteligentemente, ele tratou de burlar as dificuldades orçamentárias e investiu no futuro, instituindo o projeto de modernização do ensino. No primeiro governo Lula, tivemos o general Albuquerque, que trouxe de São Paulo o Programa de Excelência Gerencial (PEG), experimentado com êxito no Comando Militar do Sudeste. O general Enzo, no segundo governo Lula até o governo Dilma, soube aproveitar a conjuntura favorável para a aquisição de novos equipamentos e a implantação da transformação do EB.

O senhor foi procurá-los, no início do seu comando? O que o senhor queria conversar com eles?

Fui procurá-los como um gesto de cortesia e para ouvir as experiências de quem manteve o Exército na estrita observância dos deveres constitucionais e, a despeito das restrições materiais, logrou promover melhorias e a manter a autoestima em patamares elevados. Os comandantes anteriores, desde o general Leônidas, garantiram que o Exército, junto com a Marinha e a Força Aérea, ocupassem, invariavelmente, o primeiro lugar no índice de confiabilidade entre todas as instituições nacionais.

Nessas conversas, eles lhe deram algum conselho em relação ao comando?

Cada um me transmitiu as experiências próprias, como, por exemplo, as nuanças no relacionamento com o Executivo, outros poderes, ministérios e demais órgãos do governo. Também me preocupei em saber como deveria transcorrer a interação com o Ministério da Defesa, outras Forças e com as Forças Armadas das nações amigas.

De conselhos específicos, lembro-me do general Leônidas: "Faça valer sempre sua autoridade." O general Enzo recomendou que eu jamais delegasse decisões relativas ao pessoal, caso contrário eu também perderia o controle e a autoridade. Estava se referindo às promoções, transferências, nomeações para o comando de unidades e a designação para cargos relevantes fora da Força. Apreciei a franqueza e a forma direta com que me respondeu o general Gleuber: "Se quiser um ombro amigo para chorar, estarei às ordens, o resto você sabe tudo."

Antes da criação do Ministério da Defesa, as três Forças eram muito autônomas no seu planejamento e sua execução.

As Forças Armadas têm, cada uma, uma cultura institucional específica. O general Rupert Smith, no livro *A utilidade da Força: a arte da guerra no mundo moderno* explica as razões dessa diferença. Segundo ele, o Exército é influenciado pela geografia de onde estão seus quartéis. No Brasil é possível distinguir esse pressuposto com facilidade; basta, por exemplo, comparar uma tropa de blindados do Rio Grande do Sul com uma força de caatinga do Nordeste. Já a Marinha e a Força Aérea têm suas culturas condicionadas pelos equipamentos que operam: navios e aviões.

Em todo o mundo, a criação dos ministérios de defesa e a posterior integração entre as Forças demandou um período longo e muito esforço. As próprias Forças Armadas dos Estados Unidos experimentaram essa mesma dificuldade. O general Schwarzkopf, comandante das forças aliadas na Guerra do Golfo, em seu livro de memórias *It doesn't take a hero* relata um evento transcorrido por ocasião da invasão de Granada. Ele teve de ameaçar disciplinarmente um comandante de esquadrão de helicópteros dos Fuzileiros Navais que se recusava a embarcar uma tropa do Exército.

Realmente, as Forças eram muito autônomas, mas, desde 1998, quando o presidente Fernando Henrique criou o Ministério da Defesa, já avançamos muito. São dezenas de sistemas e subsistemas a integrar. Em cada um, as Forças buscam preservar as respectivas especificidades.

A integração exige, sobretudo, mudança de mentalidade. Como tudo tem o êxito condicionado pelas pessoas, os sistemas de ensino têm proporcionado que, desde as escolas militares, realizem-se atividades mistas, ensejando o estabelecimento de laços de camaradagem desde o início das carreiras. Embora haja ainda alguns passivos, já consolidamos importantes avanços. Os empregos conjuntos recentes, em situações diversas, são um atestado positivo, porque se trata da atividade-fim e razão de ser da estrutura de defesa.

Durante meu período de comando, vivi uma conjuntura feliz, graças à convivência fraterna que tive com o almirante Leal Ferreira e o brigadeiro Rossato, além do almirante Ademir, chefe do Estado-Maior Conjunto das Forças Armadas. Essa convivência se transformou em estreita amizade. A todos eles, tenho muito a agradecer, sobretudo, pela lealdade e a facilidade com que nos entendíamos nos momentos de crise.

O senhor mencionou a promoção dos generais. No início do governo Dilma, teve um decreto que transferia para o Ministério da Defesa a competência de assinar atos relativos a pessoal.[21] Depois, ele foi retificado. O senhor lembra?

Ocorreu no início do segundo mandato da presidente Dilma. Veio à tona no dia sete de setembro. No palanque presidencial, durante o

---

21. Decreto nº 8.515, de 3 de setembro de 2015 – "Delega competência ao Ministro de Estado da Defesa para a edição de atos relativos a pessoal militar" – incluía, entre outros atos, os referentes à promoção aos postos de oficiais superiores e à transferência para a reserva remunerada de oficiais superiores, intermediários e subalternos. Esse decreto foi revogado em 4 de julho de 2016 pelo Decreto nº 8.798, assinado pelo então presidente Temer.

desfile, a questão foi pacificada a partir das conversas com o chefe da Casa Civil e com Jacques Wagner, da Defesa. Ficou acertado que seria providenciada a revogação, o que só veio a se materializar no governo Temer. Supostamente, o decreto pretendia atualizar ato ainda dos governos militares, em que o governo delegava aos comandantes as responsabilidades de conduzirem a administração do pessoal respectivo, lembrando que naquela época inexistia o MD. O novo decreto atribuiu a delegação ao ministro, sem atentar para o fato de que a administração de pessoal era prerrogativa das Forças, cada uma sujeita às suas peculiaridades.

Consultaram antes os comandantes das Forças Armadas ou foi surpresa?

As Forças foram consultadas, emitindo parecer contrário, o que foi ignorado pelo MD, mais especificamente pelo assessor jurídico da Secretaria-Geral do Ministério, sob a alegação de tratar-se de mero ato administrativo.

Mas chegou a causar um desconforto ou medo de que isso fosse uma intromissão política nas promoções?

Eu, particularmente, tendi a acreditar no ministro Jacques Wagner, que nos disse: "Vocês podem ficar tranquilos, que, na prática, não vai alterar nada." Nossa preocupação vinha de eventuais mudanças da equipe de governo, o que logo efetivamente veio a acontecer. Por sorte, assumiu o ministro Aldo Rebelo, com quem eu já tinha uma relação estreita, desde minha passagem pela Assessoria Parlamentar. Mais tarde, nossa preocupação veio a comprovar-se a partir da já citada autocrítica do PT.

Menos de um ano depois, quando houve o afastamento da presidente Dilma, depois que o Senado instaurou o processo de impeachment, teve a resolução sobre a conjuntura do Diretório Nacional do PT, à qual o senhor já se referiu, que dizia que o partido havia falhado, que teria sido descuidado em não modificar os currículos das academias militares e em não promover oficiais com compromisso democrático e nacionalista.

Autocrítica é uma prática comum na esquerda. Essa foi realizada em São Paulo, por um grupo de fundadores do partido, de tendência mais radical. Na época, nenhum deles estava no exercício de mandato. Os parlamentares do partido, a quem levei o assunto, trataram de minimizar e até mesmo de desqualificar o conteúdo.

Mas continuava uma desconfiança em relação à intenção do partido? Esses episódios repercutiram de forma negativa na Força, ou eram vistos como coisas que não tinham maior efeito? O senhor ficava preocupado?

Uma constatação plausível é de que aquela visão sobre o Exército possa estar presente no inconsciente do partido. A pergunta que se faz é se, numa eventual volta da esquerda ao poder, esse pensamento subjacente não poderá vir à tona e materializar-se na forma de ações concretas. Internamente, na Força, praticamente não houve repercussões, pois o evento recebeu pouca atenção da imprensa.

Durante o governo Lula, como já falamos, a sensação que se tem é que o relacionamento institucional com as Forças Armadas foi muito tranquilo.

Durante os dois mandatos do presidente Lula, eu ainda não integrava o Alto-Comando. Exercia atividades internas, o que me proporcionava uma visão restrita sobre o dia a dia da política. Concretamente, o presidente Lula adotou medidas positivas, e, até mesmo, inovadoras. Reverteu a tendência declinante dos orçamentos de defesa e adquiriu mais de 14 mil viaturas, para um Exército que andava a pé. A Estratégia Nacional de Defesa (END) foi um marco, em razão dos desdobramentos que provocou: revisão dos planejamentos estratégicos das Forças e a elaboração de projetos. A END foi de autoria dos ministros Nelson Jobim e Mangabeira Unger.

O ministro Jobim costumava contar que, quando foi nomeado, o presidente determinou-lhe colocar os assuntos de defesa na pauta de discussões nacional. Ele se dizia integrante de uma geração política para quem defesa se restringia a repressão e a perseguições políticas. Havia um desinteresse em relação às Forças Armadas, o que sistematicamente redundava em baixos orçamentos, a despeito dos esforços dos militares.

O que mudou no governo Dilma? Era a conjuntura nacional? Era o temperamento da presidente?

O temperamento da presidente não influenciava, porque muito poucos de nossos integrantes tinham contato pessoal com ela. Três outros fatores causaram um afastamento e o crescimento de um sentimento até de aversão ao partido. Os cada vez mais evidentes indícios de corrupção, a evolução negativa da economia que nos legou um quadro de recessão e os moldes sob os quais trabalhou a Comissão da Verdade. A Comissão nos pegou de surpresa, despertando um sentimento de traição em relação ao governo. Foi uma facada nas costas, mesmo considerando que foi decorrência de antigos compromissos assumidos pela presidente Dilma.

O processo de impeachment *da presidente Dilma foi iniciado por conta das assim chamadas "pedaladas" fiscais e não por corrupção. Isso faz com que muitos analistas vejam esse processo como uma espécie de golpe parlamentar – não um clássico golpe de Estado, com tanques na rua, mas seguindo todo o ritual constitucional, tanto no Congresso quanto no STF [Supremo Tribunal Federal]. Como o senhor acompanhou o processo do* impeachment*?*

O Exército acompanhou com muita atenção. Estivemos sempre neutros em relação ao processo em curso. Nossa preocupação era voltada sempre para o que pudesse causar ameaças ao que a Constituição estabelece em relação à destinação das Forças Armadas. Napoleão dizia que um exército pode ser derrotado, mas jamais ser surpreendido. Daí nossa preocupação em guardar a capacidade de antecipação.

Pouco antes do *impeachment*, o vice-presidente Temer manifestou o interesse de falar conosco – Etchegoyen, chefe de Estado-Maior, e eu. Fizemos o jantar em sua casa, na fazendinha. Durante o jantar o vice-presidente perguntou-me: "General, qual será a atitude do Exército caso se efetive o afastamento da presidente Dilma?" Respondi-lhe que iríamos cumprir o que estabelece a Constituição. Temos três pilares: contribuir para a preservação da estabilidade, agir guiados pelos limites da legalidade e sempre guardando a legitimidade. Esta última se constitui num patrimônio construído ao longo de muitas décadas, por isso nos é tão cara.

Desculpe, mas a pergunta do então vice-presidente Michel Temer era se o impeachment *fosse aprovado ou se não fosse aprovado?*

Se fosse aprovado. Depois de empossado, ele me disse que minha resposta havia sido muito importante.

Os três pilares transformaram-se quase num mantra, que explorei junto ao público interno, mas, especialmente, aos que clamavam por uma intervenção militar.

Se o impeachment não tivesse passado, se a presidente Dilma conseguisse vencer e continuar no mandato, não teria nenhuma alteração na área militar, nenhuma oposição?

Não, obedeceríamos à Constituição. É importante deixar entendido que nossos compromissos se dirigem ao cargo, independentemente da pessoa que o ocupa.

O senhor garante isso?

Sim. Nessa altura já se havia estabelecido uma espécie de válvula de escape: as manifestações de rua, sempre pacíficas, das quais o pessoal da reserva e uma parcela importante da família militar tomava parte. Tais assuntos eram intensamente discutidos com o Alto-Comando, para mantê-los informados e garantir o alinhamento até os escalões mais baixos e o pessoal da reserva.

Teve uma entrevista sua, de abril de 2017, em que o senhor mencionou que o Exército tinha sido sondado a respeito de uma eventual decretação de estado de defesa. Isso, nas vésperas da votação do impeachment.

Dois parlamentares de esquerda, em conversa informal, sondaram oficiais da Assessoria Parlamentar sobre como seria recebida uma eventual decretação de "estado de defesa" conforme previsto na Constituição. Enxerguei ali uma espécie de "ovo de serpente", que abriria a possibilidade de que o Exército fosse empregado para fazer face às manifestações em curso. Não me pareceu que a iniciativa dos parlamentares tivesse alguma conexão com o governo. Resolvi tratar com discrição. Não levei ao ministro da Defesa e pedi ao então senador Ronaldo Caiado que fizesse um pronunciamento em plenário, o que foi suficiente para evitar que o tema fosse retomado.

Como desdobramento, algumas mídias eletrônicas divulgaram uma versão de que eu teria recebido ordens pessoais da presidente para estabelecer o estado de defesa e que a teria afrontado, recusando-me a obedecer. Não é essa a primeira vez que faço esse desmentido, já que, além de inverdade, pelo que conheci da presidente Dilma, ela não adotaria iniciativas dessa natureza.

Isso aconteceu?

Não. Totalmente falso. Quando essa versão começou a circular, ela me telefonou, pedindo que eu emitisse um desmentido, o que fiz prontamente.

Depois do impeachment, *ela falou com o senhor só essa vez que telefonou?*

Somente. Nunca mais nos falamos.

12
O tuíte do comandante

Eu sabia que estava me aproximando do limite do aceitável.

O senhor sempre se manifestou publicamente durante seu comando.

Ao final dos governos militares, e mesmo antes, o Exército empreendeu a "volta aos quartéis", assumindo a postura de "o grande mudo." Consequentemente, a sociedade se desacostumou de ouvi-lo no que se relaciona à segurança da sociedade e do Estado. Claro está que, ao manifestar-se, devem ser observados os limites da democracia e jamais ingressar no campo político partidário.

A título de exemplo, quando da demarcação da terra indígena Yanomami e, posteriormente, da Raposa Serra do Sol,[22] ambas localizadas sobre a faixa de fronteira, apresentando, em consequência, implicações para a segurança nacional, as Forças não foram chamadas a participar dos debates.

Recorrendo à literatura militar, vem nos socorrer o capitão Liddell Hart. Ferido na I Guerra Mundial, dedicou-se à história militar. Entre os mais de 40 livros que escreveu sobre história das guerras, dedicou um, especialmente, ao estudo sobre os generais alemães da II Guerra Mundial. Chama-se *O outro lado da colina*. Um dos generais analisados chama-se Hans von Seeckt, chefe do Estado-Maior alemão no período entreguerras. Von Seeckt foi quem concebeu e implantou a estratégia de preparação para a II Guerra Mundial. Liddell Hart o chama de Pôncio Pilatos, por ter lavado as mãos em relação à maneira como estava sendo conduzida a política de defesa do país, que acabou levando ao desastre, conforme se viu posteriormente.

---

22. A terra indígena Raposa Serra do Sol está situada em Roraima, na fronteira com a Venezuela. Demarcada durante a presidência de Fernando Henrique Cardoso, foi homologada em 2005 pelo presidente Lula.

Retornando à questão das terras indígenas de Roraima, nós, que estávamos presentes havia décadas, não fomos sequer consultados.

Estabeleci como meta que o Exército voltasse a ser ouvido com naturalidade. Teríamos de romper um patrulhamento que agia toda vez que um militar se pronunciava, rotulando de imediato como quebra da disciplina ou ameaça de golpe.

Planejamos, então, com o general Rêgo Barros,[23] chefe do Centro de Comunicação Social do Exército (CComSEx), o uso das mídias sociais. O emprego desse recurso era planejado por ideias-força atinentes aos objetivos pretendidos ou às campanhas em curso. Diariamente nos reuníamos pela manhã, momentos em que o Rêgo Barros repassava os destaques do dia anterior e discutíamos que atitude adotaríamos.

Por exemplo, diante de uma matéria negativa, as alternativas variavam entre não responder (ignorar), encaminhar uma resposta direta ao veículo de onde partiu, convidar o jornalista para uma visita ao Quartel-General do Exército ou levá-lo a viajar conosco para conhecer *in loco* nossa realidade. O que postávamos nas mídias sociais normalmente era redigido pelo CComSEx – logicamente, após deliberarmos e eu autorizar. Vez por outra, eu concedia uma entrevista ou escrevia um artigo.

Com o tempo, a experiência mostrou ser muito mais proveitoso atuar junto aos jornalistas e aos âncoras dos programas do que junto à direção das empresas de comunicação. Rêgo Barros tinha grande habilidade e carisma, o que resultou em laços de amizade com vários deles.

Estimulei os generais de exército no sentido de serem proativos e ocuparem os espaços de comunicação nas áreas ou setores de atividade. Aos poucos, fomos avançando e passamos a dialogar com a

---

23. O general Otávio Santana do Rêgo Barros foi chefe do Centro de Comunicação Social do Exército durante o comando do general Villas Bôas. Com a posse de Jair Bolsonaro, tornou-se porta-voz da Presidência da República.

mídia. As declarações do general Mourão,[24] cujo conteúdo tinha potencial para causar crise séria, conseguimos controlar com relativa facilidade, contando também com o apoio dos ministros da Defesa.

Rêgo Barros foi um assessor impecável, de muitas qualidades, com destaque para o senso de oportunidade e a visão estratégica. Terminou muito querido e prestigiado pela imprensa em geral. Está agora cumprindo o papel de porta-voz do governo. Creio até que poderia ser melhor aproveitado.

Seu pronunciamento de maior repercussão acabou sendo um tuíte na véspera do julgamento do habeas corpus *do Lula.*[25] *A respeito desse tuíte, o senhor foi criticado como tendo sido uma ameaça de intervenção militar. Interpretou-se que tinha sido direcionado aos ministros do STF que iriam julgar o* habeas corpus. *Outros acham que foi dire-*

---

24. Em setembro de 2015, o general de exército Hamilton Mourão, então à frente do Comando Militar do Sul, fez críticas à classe política e ao governo durante uma palestra no Centro de Preparação de Oficiais da Reserva (CPOR) de Porto Alegre. Ele convocou os presentes para "o despertar de uma luta patriótica" e afirmou que um eventual *impeachment* da presidente Dilma não traria mudanças significativas no *status quo*, mas que representaria "o descarte da incompetência, má gestão e corrupção". Poucas semanas depois, foi transferido para a Secretaria de Economia e Finanças do Exército, em Brasília. No dia 15 de setembro de 2017, em palestra numa loja maçônica, o general Mourão falou na possibilidade de intervenção diante da crise enfrentada pelo país, caso a situação não fosse resolvida pelas próprias instituições. Em novembro de 2018, já na reserva, foi eleito vice-presidente da República.
25. Na noite de 3 de abril de 2018, véspera do julgamento de um *habeas corpus* do ex-presidente Lula no STF, o general Villas Bôas fez duas declarações no Twitter. Na primeira escreveu: "Nessa situação que vive o Brasil, resta perguntar às instituições e ao povo quem realmente está pensando no bem do País e das gerações futuras e quem está preocupado apenas com interesses pessoais?"; na segunda, afirmou: "Asseguro à nação que o Exército brasileiro julga compartilhar o anseio de todos os cidadãos de bem de repúdio à impunidade e de respeito à Constituição, à paz social e à Democracia, bem como se mantém atento às suas missões institucionais." Na sessão do dia seguinte, que só foi concluída na madrugada do dia 5, o STF rejeitou o pedido de *habeas corpus* por seis votos a cinco. Em 7 de abril, Lula se entregou à Polícia Federal e foi preso.

cionado ao público interno do Exército ou às Forças Armadas em geral. Para quem era aquele tuíte?

A mensagem contida naquele tuíte só pode ser interpretada com propriedade dentro das condicionantes em que ocorreu. No texto, a palavra-chave é "impunidade".

Relembrando aquele episódio, continuo avaliando-o como oportuno. Desencadeou uma enxurrada de demonstrações de apoio que me surpreenderam. Não foi em busca desse apoio que nos manifestamos, o que teria sido uma atitude demagógica. Recebi também uma quantidade ponderável de críticas, esperadas e compreensíveis por parte de alguns articulistas. Houve um colunista que disse que a anarquia militar havia voltado.

Não tínhamos a pretensão de que algum juiz alterasse seu voto. Logicamente, o voto da ministra Rosa Weber já estava redigido naquele momento.

Não era uma ameaça aos juízes?

O país, desde algum tempo, vive uma maturidade institucional não suscetível a possíveis rupturas da normalidade. Ademais, eu estaria sendo incoerente em relação ao pilar da "legalidade". Tratava-se de um alerta, muito antes que uma ameaça.

Duas motivações nos moveram. Externamente, nos preocupavam as consequências do extravasamento da indignação que tomava conta da população. Tínhamos aferição decorrente do aumento das demandas por uma intervenção militar. Era muito mais prudente preveni-la do que, depois, sermos empregados para contê-la. Internamente, agimos em razão da porosidade do nosso público interno, todo ele imerso na sociedade. Portanto, compartilhavam de ansiedade semelhante. Nenhum receio de perda de coesão ou de ameaça à disciplina, mas era conveniente tranquilizá-lo.

Mas vamos imaginar que o resultado da votação tivesse sido diferente. No dia seguinte ia ter todo mundo perguntando: "O que é que os militares vão fazer?" A imprensa, políticos, aqueles que queriam o golpe, o público interno... E agora? O que o senhor faria? O senhor pensou nesse cenário?

Não tínhamos formulado alternativas para o "e agora?", além da contenção de danos pela comunicação social. A nenhum de nós passou recorrer a outro expediente, muito menos de força.

Sua mensagem foi logo divulgada no Jornal Nacional. Isso foi surpresa? Os senhores não queriam divulgar imediatamente?

A nota foi expedida às 20 horas e 20 minutos. Logicamente, desejávamos que a repercussão fosse imediata, mas fomos surpreendidos, sim, por ter sido veiculada logo em seguida, pelo *Jornal Nacional*.

O senhor estava preparado, tinha tropas de prontidão para se acontecesse alguma coisa?

Nenhuma. Internamente, as rotinas eram cumpridas sem alteração alguma.

E o senhor pensou que poderia ser demitido no dia seguinte? Ou tinha certeza de que não seria? Porque o senhor não consultou o ministro da Defesa antes, muito menos o presidente.

O ministro da Defesa era o Raul Jungmann, com quem compartilhava relações de confiança e amizade. Se o informasse, ele se tornaria corresponsável, e, por exercer cargo político, estaria muito mais suscetível a uma tempestade de críticas. Pelas mesmas razões, não antecipei ao Etchegoyen.

Uma dúvida que vai ficar para sempre é: caso o julgamento do habeas corpus fosse diferente, caso o presidente Lula ganhasse o pedido, não fosse preso e talvez até, eventualmente, pudesse concorrer às eleições, o que o senhor acha que aconteceria, nesse cenário, dentro do Exército? Iam todos olhar para o senhor. E agora? O senhor devia pensar nisso.

Internamente, poderia haver um sentimento generalizado de frustração, mas, coletivamente, eu estava seguro de que a disciplina seguiria inalterada. Considerava possível algum pronunciamento por parte de alguém da reserva. Externamente, as manifestações poderiam descambar para a violência, o que recairia sobre nós.

Na eventualidade de uma eleição de Lula, nossa atitude se manteria presa ao pilar da legalidade, ou seja, seria a mesma.

Seria a mesma? O senhor tem certeza?

Seria a mesma. Acho inusitado, nos dias de hoje, alguém considerar possível o próprio Exército, destinado à defesa das instituições, adotar postura contrária ao que prescreve o artigo 142 da Constituição Federal. Os militares de hoje são essencialmente devotados a seus deveres profissionais, profundamente disciplinados e democratas. É surpreendente a frequência com que qualquer movimento fora da rotina dispara o alarme de quebra da normalidade. Ademais, num país com a complexidade do nosso, onde tudo é superlativo, qualquer aventura antidemocracia se torna inviável. Seria como se provocássemos uma onda, que depois voltaria sob forma de refluxo, recolocando as coisas no lugar original, ou, muitas vezes, indo além. A Turquia nos proporcionou um exemplo recente dessa dinâmica.[26]

---

26. Na noite de 15 de julho de 2016, houve uma tentativa frustrada de golpe de estado na Turquia conduzida por militares contrários a Recep Tayyip Erdogan, primeiro-ministro do país de 2003 a 2014 e presidente desde então. A tentativa de golpe resultou em centenas de mortos e feridos; milhares de militares foram presos por suspeita de conexão com o golpe.

Uma tentativa de golpe militar.

Os militares pagaram um preço elevado.

O senhor deu, depois, uma entrevista à Folha, *na qual disse que tinha, nesse episódio do Twitter, agido "no limite"; no limite de que "a coisa poderia fugir ao nosso controle" se o senhor não se expressasse. Qual era esse limite? O que o senhor temia que acontecesse?*

O limite a que me referi é que tínhamos a consciência de estarmos realmente tangenciando o limite da responsabilidade institucional do Exército. Repito que não se tratou de ameaça, mas, sim, de um alerta. Tampouco houve menção de alguém individualmente ou de alguma instituição.

O senhor mencionou o receio que tinha, quando fez o tuíte, de que a coisa fugisse ao controle, com manifestações. Mas isso, também na área militar? O senhor temia algum tipo de motim, manifestos, prontidão, alguma coisa?

Não, até porque o conteúdo foi discutido minuciosamente por todos nós.

Nós quem? O senhor com o seu staff *ou o Alto-Comando?*

O texto teve um "rascunho" elaborado pelo meu *staff* e pelos integrantes do Alto-Comando residentes em Brasília. No dia seguinte – dia da expedição –, remetemos para os comandantes militares de área. Recebidas as sugestões, elaboramos o texto final, o que nos tomou todo o expediente, até por volta das 20 horas, momento em que liberei o CComSEx para a expedição.

O senhor chegou a consultar a Marinha e a Força Aérea?

Não, pelas mesmas razões por que não consultei o ministro da Defesa. Com ambos compartilhávamos total alinhamento de ideias.

O senhor falou com o ministro da Defesa depois? E o que ele disse?

Brincou comigo que eu estava tomando seu lugar. Falei também com o Etchegoyen que já havia conversado com o presidente Temer, o qual se limitou a dizer "está bem", aparentemente sem dar maior importância.

O senhor falou com o general Etchegoyen antes da nota?

Não, até porque estaria sobrepassando o ministro Jungmann, meu chefe imediato.

Só falou com o Exército mesmo?

Sim, com aquele círculo de pessoas a que me referi.

Retornando ao exercício hipotético de imaginação, se o resultado do julgamento no STF tivesse sido outro, um voto tivesse sido mudado e Lula recebesse o habeas corpus, *o que o senhor imagina que teria acontecido?*

Uma enorme insatisfação da população. É lógico que todos iriam olhar para o Exército, momento em que daríamos um exemplo de institucionalidade.

O senhor se refere a quem olhando para os senhores? À população civil ou às Forças Armadas?

À população, com ênfase dos que pregavam a intervenção militar.

Uma vez, o ouvi falar que não tinha chance de o senhor virar outro Castelo Branco, numa referência, evidentemente, à intervenção militar direta na política. O senhor recebia pressões ou demandas de que o Exército deveria romper explicitamente com a legalidade?

Recebi muitas demandas nesse sentido. Houve um grande empresário da Amazônia que foi a meu gabinete sugerir que déssemos um golpe e assumíssemos o governo. Brinquei com ele que dar o golpe era fácil, o difícil seria governar, ao que ele respondeu: "Não se preocupe, eu serei seu vice-presidente!"

Folclore à parte, o ambiente de instabilidade e de insatisfação fez crescer as demandas pela intervenção militar. O pico ocorreu durante a greve dos caminhoneiros.[27] Em dezenas de cidades, a população foi às portas dos quartéis para se manifestar, o que a mídia não noticiou.

Em todas essas situações, nos mantínhamos firmes nos três pilares: estabilidade, legalidade e legitimidade. Essa mensagem tinha dois endereços. Para os que reclamavam por uma intervenção e para os que temiam que ela acontecesse.

Em relação ao presidente Castelo Branco, realmente me recusei a ser comparado. Ele viveu circunstâncias históricas totalmente distintas. A sociedade brasileira não dispunha do amadurecimento que tem hoje, com instituições ainda incipientes. Partidos políticos de abrangência nacional só vieram a surgir após a II Guerra Mundial, sem contar as ameaças e os fracionamentos causados pela Guerra Fria. Castelo era profundamente legalista. Viu-se forçado a assumir o comando do movimento de [19]64, empenhando sua liderança em assegurar a unidade do movimento e garantir a adesão das lideranças civis. Os biógrafos de Castelo Branco registram que sua intenção era passar o governo para um civil. A trajetória de vida, que inclui a

---

27. Uma greve nacional dos caminhoneiros foi iniciada no dia 21 de maio de 2018 e terminou oficialmente no dia 30 de maio, com a intervenção de forças do Exército e da Polícia Rodoviária Federal para desbloquear as rodovias.

participação na II Guerra Mundial, a estatura moral, a inteligência e a cultura colocam um abismo entre ele e eu.

O senhor mencionou a população em geral, uma coisa difusa. Mas havia, por exemplo, políticos ou militares da reserva ou militares da ativa que pediam intervenção?

Foi um fenômeno interessante. Nos lugares por onde andava, pessoas se aproximavam para agradecer pelo que estávamos fazendo pelo país, ou para sugerir a intervenção. Quanto a militares da ativa ou da reserva, nunca houve essa hipótese, tampouco por parte de políticos ou da mídia.

O senhor, como comandante, tinha também a área de inteligência interna. Não teve nenhum indício de que haveria alguma quebra de hierarquia ou de disciplina de oficiais ou de praças da ativa?

Não, absolutamente nenhuma. Essa solidez disciplinar eu herdei de meus antecessores.

Ao assumir o comando, desenvolvemos um processo decisório que aos poucos foi se consolidando, de maneira muito produtiva.

Meu *staff* imediato era integrado pelos generais Tomás, chefe de gabinete, a quem se subordinavam a Assessoria Parlamentar e a Assessoria de Ligação com o Judiciário. Por esse intermédio, acompanhávamos detalhadamente o que acontecia naqueles ambientes. Eu contava também com o general Rêgo Barros na comunicação e o general Poty, aquele mesmo dos Tenharim, no Centro de Inteligência do Exército (CIE). Na Secretaria-Geral, revezaram-se os generais Pereira Gomes, Negraes e Montenegro. Todos tinham em comum a circunstância de terem sido meus cadetes, além de altamente preparados, inteligentes, proativos, leais, desassombrados e bem-humorados. Jamais deixaram de me contrariar quando julgaram necessário.

Diariamente, se juntavam a esse grupo os chefes do Estado-Maior, na sequência, Etchegoyen, Fernando, agora no MD, e Paulo Humberto. Cada um deles mereceria um capítulo neste livro.

Este depoimento não estaria completo se não relatássemos uma inovação cujos resultados foram muito além do imaginado. Inspirados pelo general Etchegoyen, criamos a função de adjunto de comando (*sargent major* em outros exércitos).

Como sempre, foi necessário ultrapassar algumas resistências iniciais, receosas de que estaríamos criando uma espécie de cadeia de comando paralela, com possíveis riscos para a hierarquia e a disciplina. Os subtenentes e sargentos se superaram na compreensão dos papéis que lhes cabiam, encarando os novos encargos com senso de responsabilidade e seriedade.

Fizemos questão de testá-los em unidades operacionais em situações de emprego, como no Haiti e em garantia da lei e da ordem (GLO). Os comandantes foram unânimes em reconhecer o quão essencial se tornou o espaço ocupado pelos adjuntos.

Provaram o extremo valor ao atuarem como assessores dos respectivos comandos a que se subordinavam. As reuniões do Alto-Comando do Exército eram acompanhadas por uma reunião paralela, com pauta preestabelecida. Ao final, nos apresentavam as conclusões, as quais muitas vezes embasaram propostas de aperfeiçoamento da legislação atinentes à carreira dos praças.

O êxito dessa iniciativa se deveu ao entusiasmo e ao engajamento dos nossos praças, que entenderam e avançaram no potencial desse novo sistema e, sobretudo, à atuação brilhante, à competência e à proatividade do tenente Crivelatti. Devo a ele também um consistente assessoramento e o vislumbre de ações que tornaram a existência dos adjuntos de comando irreversível. Na pessoa do tenente Crivelatti, agradeço e destaco a atuação de todos os adjuntos de comando, pelo fortalecimento dos laços de liderança e camaradagem nos ambientes onde atuaram.

O senhor e o general Etchegoyen conversavam muito nesse período do governo Temer?

Muito. Amigos desde guris em Cruz Alta, guardamos uma grande identidade na maneira de pensar e agir. Sergio tem uma capacidade enorme de interpretar um fato com perspicácia, extraindo os aspectos essenciais, e de apresentar com extrema objetividade e oportunidade as conclusões e sugestões mais pertinentes.

Quando do *impeachment*, o presidente Temer me convocou, ainda antes da posse, para consultar-me a respeito da recriação do GSI, que a presidente Dilma havia extinto. No mesmo ato, ela havia deslocado a Agência Brasileira de Inteligência (Abin) para a subordinação da Secretaria de Governo, demonstrando estar desavisada em relação à importância e ao papel a ser desempenhado pelas instituições de Estado.

"Eu estava pensando em criar uma Secretaria de Segurança Institucional e trazer o general Etchegoyen para ocupar o cargo", disse-me o presidente. Por coincidência, o Sergio estava completando 12 anos como general e, em consequência, passando para a reserva. Confidenciou-me que não gostaria de ocupar uma secretaria, pois isso obrigaria a descer um nível institucional.

Voltei a ele, acompanhado pelo Etchegoyen, e comentei que a decisão era acertadíssima, mas que, pela importância, o titular daquele órgão deveria ligar-se diretamente com o presidente, ganhando, portanto, o *status* de ministro. Depois de um "vou pensar", passado algum tempo, anunciou a recriação do GSI, com o Sérgio como titular.

Aos poucos, ele foi ocupando espaços na estrutura do palácio, tornando-se essencial, como assessor e uma peça fundamental na administração das várias crises que se sucederam. Realmente, conversávamos com muita frequência.

Tive, durante o período de comando, três chefes de Estado-Maior. Essa função é fundamental. Corresponde ao "CEO" do Exército. Enquanto o comandante volta-se para as várias interfaces com os ambientes exteriores, ao chefe de EM cabe fazer a implementação, coordenação e acompanhamento dos vários setores de atividade, tarefas impossíveis para alguém desprovido de capacidade de liderança. Comandante e chefe do Estado-Maior devem desfrutar de estreitas afinidade e identidade de pensamento. O segundo cumpre também o papel de principal assessor do comandante, o que evoca ainda serem animados por lealdade, franqueza e coragem moral. O ideal é que ambos sejam amigos.

Com a saída de Etchegoyen, escolhi para substituí-lo o general Fernando, carinhosamente conhecido na Força como "Fernandinho". Fernando tem múltiplos atributos. Vivência e habilidade política: havia sido ajudante de ordens do presidente Collor, mais tarde substituiu-me na Assessoria Parlamentar e foi, nas vésperas dos Jogos Olímpicos, mercê do tempo passado em atividades esportivas, autoridade pública olímpica. Coincidindo com a promoção a quatro estrelas, nomeei-o para o Comando Militar do Leste, o que fez dele o responsável pela segurança dos jogos. Finalmente, a característica que sobressai no Fernando advém do perfil operacional, adquirido na Brigada de Infantaria Paraquedista, da qual foi comandante como general de brigada. Hoje é o ministro da Defesa, onde obteve, com muita persistência e habilidade, a aprovação da reestruturação das carreiras dos militares. Trabalhou insistentemente na redação daquele projeto desde o tempo de chefe do Estado-Maior.

Passando para a reserva, foi substituído pelo general Paulo Humberto, a quem conheci, com sua impagável esposa Simone, na Amazônia, desempenhando a função de chefe do Centro de Operações do CMA. Era responsável pela coordenação das operações, que naquela região adquirem especial complexidade, por sempre envolverem órgãos civis. O que mais que impressionou foi a capacidade modernizadora e o domínio de tecnologias avançadas. Essa maneira de ser correspondia exatamente ao que eu buscava para o novo chefe do Estado-Maior. Da convivência, ainda, Cida e eu ganhamos dois novos velhos amigos.

Houve outros personagens fundamentais. Como chefe de gabinete, passei poucas semanas com o general Cid, que acompanhara o general Enzo. Em seguida, foi promovido a quatro estrelas, criando a oportunidade para trazer o Tomás, recém-promovido à divisão.

Tomás é certamente, num círculo bem estreito, o mais completo oficial que eu conheci. Está agora, já como general de exército, chefiando o DECEx, lugar certo para um oficial mente aberta, culto, com grande capacidade de relacionamento, além de ter percorrido uma trajetória de carreira bem diversificada. Foi ajudante de ordens do presidente Fernando Henrique Cardoso, esteve no Haiti, foi instrutor da Escola de Estado-Maior no Equador e comandou tropa na operação de Garantia da Lei e da Ordem no morro do Alemão. Teve também muita vivência na área de ensino, desde tenente. Posteriormente, comandou a Escola Preparatória, em Campinas, o Corpo de Cadetes da Aman e a própria Academia.

Já me referi, como integrantes da assessoria direta, aos generais Rêgo Barros, na comunicação social, e ao Poty no CIE. Esse cearense mostrou-se muito perspicaz em fazer análise das conjunturas e prospectar cenários, extraindo deles as tendências prováveis. Essa equipe, acrescida dos secretários-gerais, proporcionava-me segurança para as tomadas de decisão.

E fora do Exército, o senhor conversava com personalidades do mundo político ou empresarial, de outras instituições?

Durante o comando, permanentemente. Algumas vezes, eu era procurado e, eventualmente, convidava para uma audiência ou almoço. O universo era amplo e variado, e sempre com caráter institucional. Incluía políticos de todas as tendências, ministros, governadores, reitores, jornalistas, artistas, empresários, presidentes de federações, alguns embaixadores, membros dos órgãos essenciais de justiça – STF, STJ [Superior Tribunal de Justiça], Ministério Público Federal e Militar,

TCU, Advocacia Geral da União e STM. Invariavelmente, me fazia acompanhar por algum general e sempre por assessores da área correspondente. Não travava esses contatos por diletantismo, mas com a finalidade de antecipar relacionamentos que pudessem facilitar a solução de problemas futuros. Não incluí nesse universo os três ministros da Defesa com quem convivi, chefes de órgãos internos do MD e integrantes das Forças, a começar pelos amigos Leal Ferreira e Rossato.

Procurei, também, dentro do possível, dar atenção ao nosso pessoal da reserva. Cometeria uma injustiça se não destacasse e, sobretudo, agradecesse a esse universo. Deles sempre contei com a adesão e o apoio. A reserva como que enlaça todo o Exército. Foram nossos comandantes e instrutores. Dedicamo-lhes uma atitude de reverência. Por todos esses aspectos, são determinantes para a manutenção da importante coesão da Força.

O universo mais numeroso estava no Rio de Janeiro. Quando lá ia para conversar ou proferir alguma palestra, emocionava-me ver a disposição para se deslocarem, alguns muito idosos, mas sempre firmes e solidários. Havia remanescentes da turma de 1946, primeira formada na Aman. Alguns, contemporâneos de meu pai, aos quais, desde pequeno, acostumei-me a chamar de "tios".

General, queria retomar algo que o senhor falou. O senhor mencionou o processo de volta aos quartéis ao fim do regime militar; depois, que o senhor achava que devia haver maior participação dos militares na discussão das questões nacionais. Qual é a fronteira entre a discussão, o envolvimento com essas questões nacionais e a saída dos quartéis, a intervenção?

Os limites estão muito bem definidos na Constituição, nas leis e nos regulamentos. Outro condicionante importante, extraído da legislação, é de que cabe ao comandante, exclusivamente, manifestar-se em nome do Exército.

Liberei os comandantes de área para difundir e discutir temas que lhes eram afetos. Temos um exemplo recente originado em uma iniciativa muito bem realizada nesse sentido. O general Guilherme Theophilo, quando comandante do CMA, semanalmente assinava uma coluna em um jornal de Manaus, discutindo questões da Amazônia. O chefe do Departamento de Ciência e Tecnologia fazia muito bem quando vinha a público divulgar os projetos em andamento. Em todos os setores, ao divulgar suas realizações, potencializam-se os resultados e fomentam-se benefícios recíprocos junto às estruturas civis correspondentes. Propiciam, adicionalmente, a integração do Exército à sociedade, rompendo os limites do círculo de giz que, por vezes, nós mesmos traçamos ao nosso redor.

Jamais podemos excursionar em áreas que não digam respeito à defesa ou à segurança. Houve um prejuízo para o país por não termos sido chamados a discutir determinadas decisões sobre questões cujos reflexos recaíam sobre as Forças Armadas, ou que poderiam afetar a soberania.

Podemos elencar muitos exemplos a respeito, além dos que mencionei anteriormente. Não fomos chamados a opinar a respeito da adesão à Convenção 169 da Organização Internacional do Trabalho[28] e à Declaração de Direitos dos Povos Indígenas, bem como de tratados que estabelecem restrições à produção de materiais de defesa.

Eu mencionei a percepção de que essa linha divisória, às vezes, é muito tênue, e as pessoas podem interpretar de formas diferentes onde está a linha que delimita uma coisa de outra. Voltando ao caso do tuíte às vésperas do julgamento do STF, a impressão geral que se pode ter é que, desde pelo menos a Constituição de 1988, havia três décadas nas quais o Exército e os militares em geral não tinham assumido, explici-

---

28. Convenção sobre Povos Indígenas e Tribais em Estados Independentes.

tamente, nenhum passo para além dessa linha. Onde é que o senhor vê essa linha de demarcação entre uma questão mais geral, nacional, de Estado, e uma manifestação, uma intervenção política? O senhor não acha que esse tuíte deu um passo além da linha?

A tua insistência nessa questão exemplifica que ainda existe uma sensibilidade exagerada em relação à expressão das Forças Armadas a respeito de suas necessidades e preocupações. A questão relativa à intervenção militar é emblemática. Essa hipótese não está presente em nossas convicções, muito menos no ideário dos militares. É totalmente descabida e nos causa frustração sempre que alguém manifesta preocupação quanto a ela. Interpretam como uma patologia que assola os militares. Por um lado, demonstra que alguns setores não se libertaram dos condicionamentos da Guerra Fria; por outro, reforça a necessidade de as Forças se tornarem mais conhecidas pela sociedade em geral.

Quanto aos pedidos de intervenção, que felizmente me parece que deixaram de ser reivindicados, o que deve causar preocupação e serem especuladas são as razões que levam as pessoas a não encontrarem alternativas outras para o atendimento das demandas que as afligem.

Quanto ao tuíte, insisto que expressou um alerta em lugar de uma ameaça. Não teceu críticas de qualquer natureza a nenhuma instituição e tampouco citou pessoas.

Tem uma matéria da jornalista Eliane Cantanhêde em que o senhor admitia que havia "tresloucados" ou "malucos" civis que às vezes batiam à sua porta pedindo intervenção ou golpe. Havia mesmo?

Havia civis que, a título de realizar a uma visita de cortesia, ou de apresentar algum tema de interesse do Exército, acabavam arrematando a conversa abordando a necessidade da intervenção. Diante da insistência, eu repetidamente argumentava que o Exército até poderia ser empregado, mas sempre por iniciativa de um dos poderes e para defender a democracia e as instituições.

A Eliane me pregou uma peça ao citar um trecho de uma conversa informal. Fiquei até um pouco envergonhado pelos termos que utilizei.

O senhor mencionou as conversas que tinha, frequentemente, com o Alto-Comando, com o ministro da Defesa, com outras personalidades do mundo político, e com civis. Mas, em relação ao pessoal da reserva das Forças Armadas, do Exército em particular, que tinha muito mais liberdade para se pronunciar e que muitas vezes se pronunciava pela imprensa ou através de atos, de manifestações no Clube Militar, o senhor os escutava com frequência? Eles tinham demandas de atuação?

Há um princípio de chefia, segundo o qual deve-se manter os subordinados informados. Procurei segui-lo e, enquanto tive condições, tratei de estar junto a todos os públicos, com ênfase no pessoal da reserva e, logicamente, da ativa, sem esquecer os praças. É, também, a maneira mais efetiva para evitar a circulação de boatos.

Procurava mostrar-me disponível para tratar de temas de qualquer natureza, sem restrições algumas. Dava especial prioridade às escolas militares, pois são uma importante caixa de ressonância.

13

Governo Temer e a intervenção federal no Rio de Janeiro

Havia uma percepção de que poderia fugir ao controle, e o Rio de Janeiro se transformar em caos.

Temer assume a presidência em maio de 2016. Como foi o seu relacionamento com ele?

O presidente Temer é um cavalheiro, educadíssimo e extremamente gentil. Logo que assumi, fui fazer-lhe uma visita de cortesia, assim como o fiz com outras autoridades. Por ele fui muito bem recebido. Mais tarde, quando a crise do *impeachment* começou a evoluir, houve o episódio que relatei sobre as consultas que fez ao Etchegoyen e a mim. Depois de tomar posse, novamente nos consultou sobre a intenção de nomear o Raul Jungmann para o Ministério da Defesa. Etchegoyen o conhecia bem mais do que eu. Transmiti a ele nossa aprovação, que o tempo demonstrou ter sido uma excelente escolha.

A principal qualidade a destacar nele, entre outras, era a lealdade para conosco. Com o tempo foi se criando um ambiente de confiança entre nós comandantes, o secretário-geral do MD, general Silva e Luna e o chefe do Estado-Maior Conjunto das Forças Armadas, almirante Ademir. O ministro Jungmann trouxe um aspecto positivo para nós, em razão do ótimo relacionamento que tinha junto ao presidente, assumindo a postura de porta-voz de nossos anseios, com muita propriedade.

Quando o presidente criou o Ministério da Segurança Pública, nomeou-o como titular. Lá realizou um trabalho eficiente. Saindo do zero, rapidamente montou uma adequada estrutura de trabalho. Com muita habilidade, teve êxito na aprovação do Plano Nacional de Segurança Pública e obteve os recursos financeiros indispensáveis ao funcionamento do Ministério. Ao sair do MD, logrou, junto ao presidente, garantir a indicação de Silva e Luna para substituí-lo. Além de quebrar um paradigma, assegurou a continuidade dos projetos e processos em andamento.

O presidente Temer assume e, um ano depois, houve o episódio da divulgação daquela gravação que o Joesley Batista fez.[29] Aquilo causou um impacto enorme no mundo político. Entre os militares, como isso foi visto? Politicamente, para o governo, foi uma tragédia?

A ingenuidade do presidente trouxe sérios prejuízos para o país em geral e para nós, particularmente. Vinha encaminhando reformas essenciais e, se não colocou o país num processo de crescimento, ao menos logrou reverter o caminho em direção a uma tragédia a que nos encaminhávamos. A decantação daqueles fatos vai evidenciando que ali havia se preparado uma armadilha. Muitos atores deixaram claro que em nenhum momento houve preocupação para com a nação. Até hoje, não consigo entender o escopo daquele açodado editorial de *O Globo*.

Como disse, nós tivemos um grande prejuízo. O presidente havia, espontaneamente, se comprometido conosco no sentido de encaminhar para aprovação o plano de carreira dos militares. Sua intenção foi inviabilizada pela instabilidade e incertezas que se seguiram. Por sorte, os três comandantes acordamos não divulgar essa intenção do presidente, evitando gerar expectativas e a consequente frustração nas Forças.

Como você disse, realmente foi uma tragédia para o país.

O senhor não acha que acabou ali, politicamente, o governo Temer, na prática?

É verdade. Acabou.

---

29. Em maio de 2017, foi divulgada uma gravação feita pelo empresário Joesley Batista, do Grupo JBS, de uma conversa com o então presidente Michel Temer. Na conversa, o empresário falou de sua situação como investigado da Operação Lava Jato e revelou ao presidente que estava "segurando" dois juízes e que tinha conseguido uma pessoa "dentro da força-tarefa" para reter informações importantes a seu favor.

No ano e meio entre o episódio da gravação do Joesley Batista e as eleições, o senhor se encontrava com o presidente Temer?

Nesse período estivemos com ele por ocasião de despachos formais. Uma ou duas vezes ele nos convidou para o almoço, quando se conversava sobre a situação em geral.

No governo Temer, principalmente nesse período final, a impressão que se tem é de que o general Etchegoyen assumiu um papel muito importante no governo, dado o desprestígio político que se seguiu a essas revelações.

O Etchegoyen foi ganhando essa condição desde o início do governo. Exercia influência não só junto ao presidente, mas também em meio aos demais ocupantes de cargos no palácio. Também se incumbia de promover o diálogo com interlocutores relevantes de interesse do governo.

Detinha ainda uma acurada visão de Estado e sobre tudo que se relacionava à segurança institucional. Cumpriu um papel proeminente na administração da crise decorrente da greve dos caminhoneiros. Esse episódio, que estamos deixando passar, provocou um impacto muito sério no governo Temer. Confesso que houve um momento que me senti impotente em relação a um eventual prolongamento da crise ou de radicalização do movimento.

Menos de um ano depois, em fevereiro de 2018, ocorreu a decretação da intervenção federal no Rio de Janeiro. Muitos analistas veem como uma jogada política de Temer para, em parte, desviar o assunto da reforma da previdência, que já não ia acontecer, e também de tentar, através de uma ação de segurança pública, dar alguma sobrevida, em termos de prestígio, ao governo. O que se dizia é que o senhor não era favorável à intervenção federal, ou, pelo menos, do jeito que foi feita. Isso é verdade?

Participei de reuniões com a presença de representantes de todos os setores que poderiam estar implicados com a solução da crise que se vivia no Rio de Janeiro. É verdade que, no início, eu relutei em aceitar, porque a concepção inicial era de que o interventor deveria assumir a vida administrativa do estado. Num segundo estágio, decidiu-se que a intervenção ficaria restrita à segurança pública em geral. Eu continuei acreditando que o interventor deveria ser um civil, ficando as Forças Armadas restritas aos encargos operacionais. Essa tese permaneceu por um momento, mas a dificuldade para encontrar alguém disposto a aceitar esse desafio fez com que a escolha recaísse sobre um militar.

Devo admitir que foi a definição mais adequada. Eu não estava presente no momento dessa decisão. À noite, o Etchegoyen me ligou: "Vai ser alguém do Exército. Aguardamos tua indicação." A alternativa mais adequada era, sem dúvidas, o general Braga Netto, não só por ocupar o cargo de Comandante Militar do Leste, mas, principalmente, por ser um oficial eclético, profundo conhecedor da geografia do Rio de Janeiro e dos personagens que estariam envolvidos.

Ele conta que, quando liguei, pelo teor da conversa, a esposa Káthia ficou preocupada: "É alguma coisa sobre a intervenção?"

"Não, foi outro assunto que o comandante queria tratar."

No dia seguinte, a foto dele estava estampada nos jornais e televisão. Ela nunca me perdoou por isso.

O fato é que montou uma equipe muito eficiente, tanto na repressão aos crimes como na administração dos recursos, estabelecendo as bases de um trabalho que se mostrou impecável. Inicialmente, a imprensa esteve contra, embora a população se mostrasse favorável. Contudo, à medida que os dados estatísticos foram evidenciando a eficiência das ações implementadas, a mídia acabou por se render.

Um fator de êxito importante foi a escolha do general Richard para ocupar o cargo de secretário de Segurança. Richard, logicamente que com apoio do Braga Netto, conquistou o apoio das polícias civil e militar, promovendo a elevação da autoestima dos policiais e o saneamento das estruturas administrativas de ambas.

A maneira de ser do Braga Netto levou o presidente Bolsonaro a nomeá-lo para a chefia da Casa Civil onde, tenho certeza, vai se haver muito bem.

E como os Marinho responderam?

Fui a eles pedir apoio. Foram receptivos e concordaram em apoiar. *O Globo* seguiu com a postura crítica usual, mas aos poucos, assim como a imprensa em geral, foi alternando para um viés mais favorável.

O senhor, pessoalmente, era favorável à intervenção? Porque isso foi uma novidade. Havia ocorrido ações de GLO, mas a intervenção federal era uma coisa inédita. Pelo menos desde o regime militar não acontecia nada assim.

Conforme relatei na pergunta anterior, no início das discussões sobre a intervenção, diante de uma série de indefinições, adotei uma postura crítica, mas jamais fui contra.

A imprensa, às vezes, dava a impressão de que o senhor não era favorável, que o general Etchegoyen é que era, o que teria causado até um mal-estar entre o senhor e ele.

Não é verdade. Apesar da visão crítica em relação à GLO, entendíamos que a segurança da população era prioritária. Em relação ao Rio de Janeiro, pela gravidade, estava tomando o contorno de uma questão de segurança nacional, tornando inevitável nosso emprego.

Quanto ao Etchegoyen, eventualmente divergimos um do outro, inclusive durante o período que foi meu chefe de Estado-Maior, sem jamais chegar a ponto de abalar a amizade e a confiança mútuas. Se ocorresse, nossas mães nos colocariam embaixo do "chuveiro gelado" novamente.

Mas a participação na segurança pública é um papel que, geralmente, os militares não gostam de exercer. Estou correto?

Nós, militares, sempre tivemos uma postura crítica em relação às missões de GLO. Nossa formação e equipamento não são adequados a empregos dessa natureza. Nossa atuação é sempre coletiva, diferindo das polícias, acostumadas a agir individualmente. Por outro lado, a postura dos integrantes das Forças Armadas tem um caráter destrutivo, ao invés da postura protetiva com que os policiais atuam.

Muito nos custou adaptar nossa tropa a colocar a segurança da população em primeiro lugar, pois essa atitude coloca uma dificuldade extra nas operações e aumenta os riscos na execução. Não é fácil às equipes de emprego resignarem-se a ser alvos de fogos por parte dos delinquentes e não revidarem, em razão da possibilidade de produzir efeitos colaterais indesejáveis.

Houve o caso de um capitão que, recebendo fogos vindos de uma escola, impediu os subordinados de responderem, em razão da possibilidade de que houvesse crianças no prédio. O capitão Diego Martins Graça, do 1º Batalhão de Infantaria Motorizada, acabou ferido mortalmente, pagando com a vida pela preocupação de proteger vidas inocentes.

Esses procedimentos operacionais, a que chamamos de "regras de engajamento", foram trazidos do Haiti, e, aos poucos, sendo aperfeiçoados para nossa realidade.

Um aspecto crítico residia na insegurança jurídica a que estavam expostos nossos integrantes, o que gerava até mesmo um dilema ético para os comandantes. O Exército tira um menino da convivência da família, por força do serviço militar obrigatório, submete-o a treinamento, emprega-o em operações, ele age de acordo com o que lhe foi ensinado e nós o devolvemos à família na condição de criminoso. Essa é uma história real, ocorrida nas ações de GLO, no morro do Alemão. Dois soldados, em um enfrentamento, mataram um traficante. Por essa razão, foram enquadrados no dispositivo legal segundo o qual, por tratar-se de crime doloso, deveriam ser submetidos a júri popular. Tivemos de atuar em todas instâncias jurídicas para evitar que fossem condenados.

Há resistências, por parte de alguns membros do Judiciário, sobre o entendimento de que as ações de GLO se enquadram como operações militares e não como ações policiais. Por outro lado, a experiência tem tornado claro que o emprego do Exército, por si só, não tem capacidade de alterar o potencial de criminalidade dos ambientes onde atuamos.

Segundo os estudos do general Rupert Smith no livro já citado – *A utilidade da Força: a arte da guerra no mundo moderno* –, em conflitos entre o povo, a decisão não é obtida pela força militar. A ela cabe tão somente assegurar a segurança e a estabilidade, para que outros vetores de atuação do governo venham a agir de forma a alterar aquela realidade.

Quando de nosso emprego na favela da Maré, onde permanecemos por 14 meses, a um custo de R$ 1 milhão por dia, houve um período em que nem mesmo o lixo era recolhido. As UPPs [Unidades de Polícia Pacificadora] previstas para serem construídas naquele interregno não saíram do papel. Nenhuma ação de caráter social e econômico, com potencial de melhorar a vida e oferecer alternativas, principalmente aos jovens, foi implementada. Como resultado, uma semana após o encerramento das operações, a população voltou a ser prisioneira dos antigos níveis de criminalidade.

14
As eleições de 2018

Tínhamos a preocupação de que a política voltasse a entrar nos quartéis.

Ao longo desse período, tínhamos no horizonte as eleições de 2018 e havia uma mobilização política muito grande, que acabou resultando na eleição de Jair Bolsonaro para presidente, o que foi uma surpresa para muita gente. Ele tinha um teto de intenções de voto, mas que depois se transformou no que um colega cientista político chamou de "tsunami eleitoral", para se referir à onda do bolsonarismo e de uma mobilização política mais à direita. Esse processo político seguia em paralelo ao caminho de uma maior participação dos militares na discussão das questões nacionais. Qual era o risco de esses caminhos se cruzarem ou de serem o mesmo?

Institucionalmente, para nós, é muito clara a linha que separa os dois temas: o das questões nacionais e o dos assuntos político-eleitorais.

Bolsonaro deu ênfase ao combate ao politicamente correto, do qual a população estava cansada. A Globo, o reino do politicamente correto, foi o mais importante cabo eleitoral do presidente eleito.

Por muito tempo, foram ignoradas as questões nacionais e o papel das instituições de Estado. Talvez tenha contribuído para essas omissões a inexistência de um projeto nacional. Entre as décadas de 1930 e 1980, fomos um dos países do mundo ocidental com as maiores taxas de crescimento. Nesse período, existia um sentido de projeto. Havia uma robusta capacidade de realização, aliada a um sentido de grandeza e uma ideologia de desenvolvimento.

A partir de então, a sociedade brasileira cometeu o engano de permitir que a linha de fratura da Guerra Fria criasse uma primeira divisão entre os brasileiros, e lá se foi nossa coesão interna. Nos alinhamos aos objetivos de duas orientações externas, a do mundo ocidental em oposição à de orientação soviética. Nos tornamos, então, vulneráveis a outros fracionamentos que viriam depois, infiltrando-se, oportunistamente, nas brechas encontradas.

Insistindo na questão de um projeto para o país, ela se torna a cada dia mais crucial e urgente. Temos sinais de uma nova Guerra Fria se configurando de maneira inevitável, diante do crescimento chinês. As estimativas apontam para cenários em que, até 2030, veremos o PIB nominal chinês equiparar-se ao dos EUA e, segundo o próprio planejamento estratégico dos asiáticos, em 2050 terão consolidado a supremacia mundial.

Com vistas nas eleições, convidei os candidatos para conversar. Essa rodada de entrevistas aconteceu antes que as candidaturas fossem oficializadas. Nelas eu expunha temas relativos à importância de reconstrução de um projeto nacional. Discorria sobre a Amazônia, os problemas e as soluções cabíveis e, por fim, tratava da defesa, das Forças Armadas e de questões importantes que lhes dizem respeito.

Minha expectativa de que esses assuntos fossem discutidos por ocasião dos debates eleitorais acabaram frustradas. Nos poucos que ocorreram, esses temas não foram provocados pelas emissoras.

Mas o senhor acha que não teve resultado prático.

Hoje, analisando o que pretendia, concluo que cometi um engano. Em um país dominado por agudas desigualdades econômicas, sociais e regionais, além de estar vivendo a crise mais prolongada de sua história, a população sofrendo com elevadas taxas de desemprego, torna-se difícil fazer com que as pessoas se interessem por questões abstratas e distantes da realidade do dia a dia.

Um dos candidatos, o Bolsonaro, se apresentava como um militar de formação e manifestava-se muito sobre questões sensíveis aos militares, incluindo as relacionadas ao passado, à interpretação do que ocorreu durante o regime militar. Como ele era visto entre a oficialidade, na sua percepção?

Acredito que Bolsonaro era o candidato da preferência dos militares em geral. No primeiro turno, os votos podem ter-se diluído por alguns outros concorrentes. No segundo turno, contudo, prevaleceu o sentimento antipetista.

Esse sentimento anti-PT que o senhor mencionou, teria mais a ver com o quê? Por ser um partido de esquerda, pelas denúncias de corrupção...?

O sentimento antipetista era principalmente dirigido ao ex-presidente Lula. Ele cometeu um grande estelionato com a população, que havia depositado as esperanças nas suas propostas. A política econômica, calcada na exportação de *commodities*, cujo superávit foi empregado sobretudo em programas sociais, com pouca ênfase nos investimentos, continha dentro de si a semente do que viria depois. Ele, pessoalmente, produziu uma derrocada material. Contudo, o mais sério foi a destruição moral do país. Em suas manifestações constata-se que se manteve inalterado o descompromisso para com a verdade.

Seria correto dizer que havia um veto militar ao PT, ou ao presidente Lula, caso pudesse se candidatar...?

Havia uma forte rejeição. Mas, institucionalmente, não era possível um veto sem romper com os três pilares.

... de que não seria aceitável a volta do PT, ou do presidente Lula em particular?

Ambos se confundem. Quando converso com pessoas de esquerda, questiono até quando o PT vai se manter aferrado à defesa de Lula, evitando despender as energias do partido na elaboração de um projeto. Ouvi de um deles que Lula era a única pessoa com o poder de unificar o país.

Se o Haddad, candidato do PT, tivesse ganho, tomaria posse sem problemas na área militar?

Novamente recorro aos três pilares.

O senhor garantiria?

Se eu adotasse uma postura diferente, provavelmente não obteria a adesão unânime do Alto-Comando. As gerações atuais possuem um arraigado sentimento democrático. Dizem que quando as ideologias ficam velhas, elas se mudam para a América do Sul. Contudo, é pouquíssimo provável que as circunstâncias de [19]64 venham a se repetir. Ademais, o Brasil de hoje é um país amadurecido, em que um sistema de pesos e contrapesos dispensa que a população seja tutelada.

É mesmo, ele assumiria?

Com absoluta certeza: se o Haddad fosse eleito, assumiria normalmente e a postura do Exército seria de cumprimento da Constituição.

Nesse período da campanha política que levaria às eleições de 2018, vários militares da reserva se engajaram muito na campanha do Bolsonaro.

Sim. Ele despertou o entusiasmo entre os militares, por expressar posições de forma inédita, indo ao encontro da ansiedade de muitos.

Nesse período de campanha eleitoral, o senhor não temia que houvesse um extravasamento, um envolvimento também de pessoas da ativa nesse movimento a favor de um candidato?

Eu realmente tive essa preocupação, pois representaria um enorme retrocesso. Contudo, o que se verificou foi um firme amadurecimento dos militares da ativa e da reserva, graças ao que os limites que separam o ambiente profissional da esfera política foram estritamente observados. Nenhum militar da reserva pretendeu fazer campanha no interior dos quartéis, tampouco se viu alguém da ativa imiscuir-se em campanhas eleitorais.

Tem um ditado que diz que quando a política entra por um portão do quartel, a disciplina sai por outro, algo mais ou menos assim.

Nossa história é rica de exemplos dessa natureza: a Questão Militar, ainda no império, a Proclamação da República, época em que as escolas militares eram impregnadas do pacifismo positivista, o Tenentismo, as revoluções de 1930, 1932, 1935, 1937, o Estado Novo, deposição de Vargas. Esses movimentos foram permeados ainda de revoltas menores.

O denominador comum de todas elas estava no descompromisso em relação à hierarquia e à disciplina. O preparo profissional e o adestramento das unidades eram relegados a segundo plano. Somente a partir da II Guerra Mundial, paulatinamente, foi-se obtendo alguma estabilidade, propiciando um ambiente favorável à priorização das atividades profissionais propriamente ditas.

O senhor acha importante a diferenciação entre a instituição e o governo?

É absolutamente fundamental. O ministro da Defesa, general Fernando, e o comandante do Exército, general Leal Pujol, têm sabido, com habilidade e firmeza, manter bem nítida a separação entre governo e as Forças.

15

Governo Bolsonaro

Eu sempre refutei a interpretação de que o Bolsonaro representava a volta dos militares ao poder.

Vou falar a minha impressão, o senhor fique à vontade para discordar. Algumas vezes, as pessoas encararam a eleição do Bolsonaro como a chegada de um militar ao poder. Eu o acho muito mais político do que militar. Quero dizer, ele foi militar durante uma década, e político por três décadas. Não sei se o senhor concorda com essa interpretação.

Eu sempre refutei a interpretação de que o Bolsonaro representaria a volta dos militares ao poder. Fiz questão de marcar bem esse afastamento. Minha preocupação era grande, talvez excessiva, de que a política pudesse voltar a entrar nos quartéis. Seria desastroso e representaria um retrocesso. O que se tem visto é uma postura apolítica e totalmente profissional.

Mesmo havendo vários militares em posições ministeriais e de segundo escalão?

Mesmo havendo.

O senhor está tranquilo em relação a isso?

Depois de um ano, creio que já está claro que a presença de militares ocorre com absoluta normalidade. Um indicativo mais expressivo ainda são as eventuais demissões desses militares. Não provocam crises e tampouco afetam o Exército. A imprensa ainda não conseguiu entender que tanto a nomeação quanto a exoneração são eventos rotineiros descolados das questões institucionais.

O senhor não acha que trataram mal o general Santos Cruz?

Para todos no Planalto, a demissão do Santos Cruz foi uma surpresa, pois era o mais próximo do presidente Bolsonaro. Ele se queixa de, até agora, desconhecer o motivo da demissão.

O Olavo de Carvalho chamou ele de... enfim, não vou repetir, mas chamou dos piores...

Cocô engomado.

Chamou de merda, traidor, essas coisas. E o general Santos Cruz não recebeu o apoio que talvez ele esperasse do presidente, o comandante-em-chefe das Forças Armadas.

O Olavo de Carvalho, quando eu estava no comando, me rotulava de omisso, por não tomar atitudes mais duras em relação ao PT. Exigia, inclusive, uma intervenção militar. Me chamou de "melancia, filho da p...". Evitei responder a esses e outros ataques, por motivos óbvios.

No passado, ele foi uma figura que teve trânsito entre os militares, porque ele elogiava, até bajulava demais os militares. O senhor concorda?

A Escola de Comando e Estado-Maior costumava trazê-lo para atuar como painelista em debates sobre temas políticos e ideológicos. Aos poucos, foi se tornando desrespeitoso para com os demais participantes, criando, até mesmo, situações constrangedoras. Naturalmente, deixou de ser convidado. Posteriormente, radicalizou nas críticas aos militares no governo, general Heleno, Santos Cruz e ao próprio Exército.

O que os analistas falam muito é que há uma "ala militar" do governo e uma "ala olavista". Não sei se o senhor acha que existe uma ala mi-

litar, mas uma ala olavista, o senhor acha que há? Porque ele indicou diretamente dois ministros, pelo menos.

Eu desconheço o nível de influência que ele exerce sobre algumas áreas do Planalto. Depreende-se que ela ocorra. Quanto à ala militar, asseguro que não existe. No imaginário de alguns, nós nos reunimos para deliberar e articular planos para influenciar o governo. Nunca ocorreu. Nosso pessoal atua como servidores do Poder Executivo e, jamais, como representantes do Exército.

O senhor chamou Olavo de Carvalho de Trótski de direita.[30]

O que me motivou foram críticas injustas que ele dirigiu ao Santos Cruz e ao Exército. Ele respondeu dizendo que o Exército estava se escondendo atrás de um cadeirante.[31] A repercussão foi enorme e, pelo volume de manifestações pessoais e institucionais de apoio que recebi, foi possível avaliar seu descrédito.

O senhor já fez referência ao processo histórico brasileiro dos anos 1930 aos anos 1980 como sendo um período de desenvolvimento e de crescimento do Brasil enquanto nação. Mas também disse que o

---

30. Em 6 de maio de 2019, o general Villas Bôas publicou, em suas redes sociais, uma resposta às críticas que Olavo de Carvalho havia feito ao general Santos Cruz e aos militares em geral, afirmando que ele, "a partir de seu vazio existencial, derrama seus ataques aos militares e às Forças Armadas demonstrando total falta de princípios básicos de educação, de respeito e de mínimo de humildade e modéstia". Disse ainda que: "Verdadeiro Trótski de direita, não compreende que, substituindo uma ideologia pela outra, não contribui para a elaboração de uma base de pensamento que promova soluções concretas para os problemas brasileiros."
31. No dia 7 de maio de 2019, Olavo de Carvalho publicou em sua página no Facebook: "Há coisas que nunca esperei ver, mas estou vendo. A pior delas foi altos oficiais militares, acossados por afirmações minhas que não conseguem contestar, irem buscar proteção escondendo-se por trás de um doente preso a uma cadeira de rodas. Nem o Lula seria capaz de tamanha baixeza."

problema foi a ocorrência de uma "fratura ideológica". A sensação de hoje não seria de que há o risco de uma nova fratura ideológica, na medida em que uma ala do governo traz questões ideológicas e morais como se estivéssemos ainda na Guerra Fria, como se ainda vivêssemos nos anos 1970?

Já mencionei a questão essencial de, com urgência, restabelecermos nossa coesão, antes que uma outra guerra fria ocorra e nós venhamos a nos fracionar novamente. Me preocupa que a incapacidade de colocar o interesse coletivo acima do individualismo enseje mais uma ruptura a nos desviar de nossos objetivos.

E como o senhor acha que isso pode ser feito, para pacificar o país e evitar o aprofundamento do que o senhor está chamando de fraturas?

Acho um erro combater uma ideologia com outra. É como empurrar um pêndulo até o limite de sua amplitude. Em algum momento ele voltará ao extremo contrário. O importante está em, por meio de ações concretas, ir estreitando o espaço da atuação ideológica. O que vem sendo rotulado como "guerra ideológica", em parte resulta de as pessoas, até então, não estarem acostumadas à contraposição de ideias que, anteriormente, se impunham como hegemônicas.

Um personagem que, por vezes, é alvo de um massacre de acusações, até mesmo com origem no exterior, é o já citado ministro do Meio Ambiente, Ricardo Salles, que "ousa" denunciar o que está por trás do indigenismo e do ambientalismo internacionais. A virulência das críticas é um indicativo da fragilidade dos argumentos. Usam então o expediente de, diante da incapacidade de refutar os argumentos, desqualificar a fonte.

Como foi seu relacionamento com o presidente Bolsonaro, antes de ele ser presidente, quando ele foi deputado federal? Antes de ele se tornar candidato, o senhor tinha contato com ele?

Conheci o deputado Bolsonaro em 2001, quando ocupava o cargo de chefe da Assessoria Parlamentar do Exército. Posteriormente, depois de ser promovido a general, nos encontramos com frequência em cerimônias militares, que ele sempre fez questão de prestigiar. Nosso relacionamento foi sempre amistoso.

Depois que assumi o comando, algumas vezes o convidei para ir ao QG. Nessa altura, a candidatura ainda não havia sido aventada. Tratávamos de temas de interesse do Exército, geralmente sobre a tramitação de projetos de lei ou sobre orçamento.

Como candidato esteve duas vezes no meu gabinete. Em uma delas, abordei os mesmos temas que havia tratado com os demais postulantes. Voltou uma vez mais após a eleição. O assunto girou em torno dos cargos da área militar.

O senhor preferia o general Heleno no Ministério da Defesa? Ou não tinha preferência?

O Heleno era um nome excelente para a Defesa, mas eu avaliava que seria mais proveitoso ele ocupar um cargo que proporcionasse a convivência diária com o presidente. Em tom de brincadeira eu disse: "Presidente, nós não queremos o Heleno na Defesa." Ele, ao meu lado, sorria. Foi então que ambos me pediram a sugestão de um nome para a Defesa. Ocorreu-me o almirante Leal Ferreira, comandante da Marinha ao mesmo tempo que eu no Exército. À noite, quando liguei para o Leal, pois não o havia consultado previamente, ele me pediu para retirar a indicação. Queria permanecer no Rio cuidando dos netos. A escolha girou então em torno do nome do general Fernando.

Na posse do general Fernando como ministro da Defesa, Bolsonaro disse que o senhor era um dos responsáveis por ele estar ali. E ele também disse: "O que a gente conversou morrerá entre nós." O que é que os senhores conversaram?

Morrerá entre nós! Garanto que não foi um tema de caráter conspiratório. Ele, desde então, faz questão de me homenagear em eventos públicos.

E como o senhor se vê, nessa conjuntura do seu comando?

Tudo o que fiz se apoiava num grande facilitador: ter uma instituição como o Exército por detrás.

Contribuiu, também, o Alto-Comando do Exército. Meus cavaleiros da távola redonda que, quando nos reuníamos, depositavam as espadas sobre a mesa, num gesto simbólico de empenhar a honra pelo Exército. Quanto orgulho experimentava por ombreá-los. Desfrutei cada momento em que convivemos. Sinto muita falta.

Um terceiro fator determinante foi a cadeira de rodas. Até mesmo a condição de herói tentaram atribuir-me, entendendo, por condescendência, que eu estava me sacrificando. Ao contrário, manter-me no cargo me trouxe um propósito para sentir-me vivo e animado.

16
ELA, a doença

Quando Deus quer ter uma conversa particular com a gente, Ele te dá uma doença dessas como forma de você se aproximar d'Ele e ver as coisas com outros olhos.

Foi em março de 2017 que o senhor anunciou, no YouTube, que tinha essa doença: ELA – esclerose lateral amiotrófica.[32]

Recebi o diagnóstico em meados de 2016. Havia cumprido pouco mais de um ano de comando. Mantive-me em condições quase normais por mais um ano. Conseguia me deslocar, tomar avião e visitar unidades. Relutava, por orgulho, em usar bengala ou cadeira de rodas. Foi então que, por ocasião do Dia do Exército, fui ao púlpito fazer a leitura da ordem do dia. Meus auxiliares ainda me perguntaram se eu preferia ler sentado. Recusei. Estava ao lado do presidente Temer, com a concha acústica do Forte Caxias repleta de autoridades. Ao levantar-me, percebi que não estava bem. Já era tarde. Durante a leitura as pernas começaram a fraquejar. Apoiei-me no púlpito e consegui chegar ao final. Pressenti que iria cair, mas como estava ao microfone, não pedi socorro, com receio que todos ouvissem.

Desabei!

Rapidamente, o pessoal acorreu, me recolocaram na cadeira vizinha à do presidente. Ele prontamente mostrou solidariedade. Acabei me emocionando de vergonha. Os primeiros a me consolar foram o Mourão, com "engole o choro", expressão típica do jargão militar para alguém que está fraquejando. Em seguida, veio o amigo cavalariano Paulo Chagas: "Só cai quem monta." Soube depois que os jornalistas presentes se puseram de acordo em não publicar meu tombo. Realmente, ao contrário do que imaginava, no dia seguinte não se encontrava uma linha sobre o episódio. Serviu-me de lição.

---

32. O general Villas Bôas tornou pública a doença em 21 de março de 2017, no programa *O comandante responde*, produzido pelo Centro de Comunicação Social do Exército (https://youtu.be/eqMcK3T1YSo).

Jamais tentei ocultar a doença, até para não provocar especulações, o que, certamente, seria pior. Fui ao presidente Temer para colocar o cargo à disposição e sugeri que ele indicasse alguém sem restrições e com mais vigor. "Não general, mantenha-se no cargo. Preciso de sua autoridade moral."

O principal problema da ELA não está na doença em si, mas, em seus efeitos: a perda da mobilidade e, mais recentemente, da capacidade de comunicação. Para ambos há soluções às quais estou tratando de me adaptar. O principal óbice decorre da minha anterior condição de semianalfabeto digital. Por sorte, não me faltam assessores e amigos dispostos a auxiliar-me.

No exercício da função, a dificuldade de locomoção fui compensando com o incremento do uso das mídias sociais, sempre orientado pelo Centro de Comunicação do Rêgo Barros.

A doença que o senhor tem é uma doença progressiva e debilitante. Como encontrou força para continuar ativo e, ao mesmo tempo, lidando com o desenrolar da doença? Logo o senhor, que teve uma vida de militar muito ativa.

Aprendi que, quando Deus quer ter uma conversa particular contigo, ele dá uma doença como esta. Naturalmente, ela nos faz aproximar-se d'Ele. No início fica-se um tanto perdido, pois, com frequência, de forma solícita, pessoas nos abordam sugerindo que vá a um determinado médico que curou alguém de seu relacionamento. Prontamente recorremos àquele médico, muitas vezes tendo de viajar, submetendo-nos aos mais variados tipos de tratamento. Aos poucos, fui observando que estava me desgastando, sem obter melhoras. Por outro lado, meu médico é a maior autoridade na área da neurologia, que se mantém em contato com o que há de mais avançado no mundo. Se houvesse disponível alguma alternativa de tratamento, ele a teria buscado.

Esse médico, dr. Acary, é acima de tudo um humanista, engajado politicamente, buscando junto ao governo que proporcione atenção a esse universo das doenças raras e incapacitantes. Quando me comunicou o diagnóstico da ELA, deixou bem claro: "Não tenho prognóstico." Passou-me dois conselhos simples, mas que me têm servido de orientação: "Tenha sempre algum objetivo e viva o dia de hoje, sem nostalgia do passado" e "evite sofrer antecipadamente com o que possa vir no futuro".

Outra tendência que experimentei foi a busca de cura milagrosa na área espiritual, afastando-me de minha crença original. Num determinado momento, dei-me conta de que estava me perdendo e, até mesmo, chegando a extremos que beiravam o ridículo. Foi então que o general Cardoso, respaldado por uma profunda espiritualidade, disse-me: "O Deus que vai te curar é o que está dentro de ti." Essas palavras me proporcionaram o conforto espiritual que estava buscando. Parei de seguir conselhos para procurar curandeiros, por mais célebres que fossem.

A Deus nunca pedi que me curasse, apenas que me desse forças para estar à altura das pessoas que cuidam de mim.

Os médicos me dizem que, afora a ELA, estou muito bem. Meus índices, colesterol, triglicerídeos, PSA, pressão, são todos excelentes. Portanto, vou morrer com toda a saúde.

Sou também a pessoa mais bem-cuidada do mundo, a começar pela família, que se tornou ainda mais unida e me cobre de carinhos, bem como dos amigos a que já me referi. Recebo especial atenção e cuidados, a começar pelo amigo general Brandão, dos médicos incansáveis e a impagável equipe de fisioterapeutas e fonoaudiólogas. Todos têm o dom de "gostar de gente". Me cercam de otimismo e alegria, não dando espaços para que eu caia em desânimo. Eu lhes digo que eles compõem a pior equipe do mundo, mas eu não a trocaria por nenhuma outra.

A minha doença tem um aspecto positivo: nunca senti dor, nenhuma dor. Diferente, por exemplo, da minha filha Adriana, portadora de uma doença autoimune chamada espondilite anquilosante, que a faz conviver com a dor diariamente, e mesmo assim se mantém superativa. Administra a ONG Rompendo Mais Fronteiras, estuda psicologia, realiza estágio e trabalha. Ela tem sido uma extensão de mim próprio. Estimula-me a manter-me ativo.

Foi por seu incentivo que criei o Instituto General Villas Bôas. Não pude furtar-me. Recebi o estímulo de muitas pessoas e o apoio dos amigos. Marco Aurélio se prontificou a assumir a diretoria.

O instituto terá três vertentes. A primeira é reunir meu acervo, para o que se prontificou a Fundação Getulio Vargas.

A segunda vertente vem de um sentimento de obrigação. A doença me permitiu penetrar em um universo até então desconhecido: o das doenças raras e incapacitantes. Pretendemos promover a reunião de conhecimentos, em todas as áreas, inclusive no que se refere às tecnologias assistivas. Constatei que, por ter sido comandante do Exército, todo esse conjunto de facilitações chegam a mim espontaneamente, ao passo que a maioria das pessoas, por desconhecimento, não tem acesso a elas.

A terceira vertente igualmente vem de um sentimento de obrigação. Algo de que muitos já me ouviram falar: o de um projeto nacional. Estamos contando com a colaboração do general Rocha Paiva, general Cardoso, do Instituto Sagres e de mais pessoas e instituições dedicadas a temas nessa esfera.

Ainda sobre a ELA, já tive uma outra doença que considero pior: a depressão. Meu primeiro surto ocorreu em 2002. Eu poderia tê-la evitado. Deixei-me levar pelo *stress* do trabalho, natural em uma função desgastante, negligenciei os cuidados com a saúde e deixei de realizar atividades físicas. O que no início era apenas uma ansiedade evoluiu para a depressão. De manhã, antes de sair de casa, fechava-me no banheiro para chorar. Tinha a sensação de que, quando abrisse a porta, um dragão me devoraria. Por sorte, Cida intuiu o que estava acontecendo e marcou consulta em um psiquiatra. Ele me aplicou um teste no computador e rapidamente diagnosticou: você está com depressão de média para grave. Prescreveu medicamentos que exigiram adaptações e levaram dois meses para fazer efeito.

Sentindo-me bem, depois de um tempo, aconselhado por um homeopata, substituí os medicamentos pelos que esse médico me receitou. Em pouco tempo, caí em outra crise, pior do que a primeira. De positivo apenas o fato de que, dessa vez, eu sabia do que se tratava. Retomei os medicamentos originais, e, até hoje, nunca mais os abandonei. Mais tarde o médico os substituiu por similares com menores efeitos coletareis. Nunca me permiti deixar que as pessoas soubessem.

Quando no comando, preocupou-me o índice de suicídios cometidos por militares e famílias. Criamos então um programa de valorização da vida, a cargo do Departamento Geral do Pessoal (DGP). Teve um ótimo início graças à tenente Patrícia Maretti. Por ocasião de um evento de iniciativa do general Modesto, chefe do DGP, figura querida por todos, que contou com a presença do presidente da Sociedade Brasileira de Psiquiatria, fui convidado a fazer a abertura. Imaginando o que iria dizer, constatei que seria relevante e oportuno que eu deixasse as pessoas saberem que qualquer um pode ser acometido dessa terrível doença.

No nosso meio, a depressão é alvo de preconceitos, sendo considerada, até mesmo, como um sinal de fraqueza. Eu próprio tive esse receio de dar a conhecer. Desde muito tempo, não sinto os sintomas, com exceção de uma leve recaída logo depois que recebi o diagnóstico da ELA. Ao experimentar os efeitos da depressão, passei a afligir-me com a possibilidade de perder alguém por suicídio, que poderia ser evitado se tivesse recebido uma atenção nossa.

O senhor também tem recebido muitas homenagens. Hoje à tarde, terá uma no Senado.

Realmente, receberei uma homenagem do Senado. Prefiro interpretar como uma personificação em relação ao que o Exército fez e representou para a sociedade nos meus quatro anos de comando.

Não fico confortável com essas homenagens, pois não acho positivas em relação ao atual comandante, general Leal Pujol. Ele sim, deve ser alvo de reverências pelo posto que exerce.

Mas, ao mesmo tempo, não é só homenagem, eles querem demonstrar carinho pelo senhor. É evidente. Enquanto fazíamos aqui esta entrevista, várias pessoas vieram visitá-lo.

É verdade, a começar pelo próprio general Leal Pujol, que não tem permitido e existência de nenhuma lacuna nos cuidados de que necessito.

General, acho que fiz as perguntas que eu tinha para fazer. Queria lhe agradecer pelo seu tempo, pedir desculpas pelo abuso...

Nenhum abuso. Quem tem de agradecer sou eu, por esse interesse da FGV. Eu só fico preocupado em relação ao valor do que relatei.

Isso a gente decide pelo senhor, não se preocupe. Nós achamos muito importante.

Está bom, Celso. Foi um prazer muito grande essa convivência contigo. Muito obrigado.

Siglas

Aman	Academia Militar das Agulhas Negras
BI	Batalhão de Infantaria
BIMtz	Batalhão de Infantaria Motorizado
BIS	Batalhão de Infantaria de Selva
BGP	Batalhão da Guarda Presidencial
BPE	Batalhão de Polícia do Exército
BPEB	Batalhão de Polícia do Exército de Brasília
CComSEx	Centro de Comunicação Social do Exército
CIE	Centro de Inteligência do Exército
Cigs	Centro de Instrução de Guerra na Selva
CMA	Comando Militar da Amazônia
CMN	Comando Militar do Norte
CMNE	Comando Militar do Nordeste
COTer	Comando de Operações Terrestres do Exército Brasileiro
CPEAEx	Curso de Política, Estratégia e Alta Administração do Exército
DECEx	Departamento de Educação e Cultura do Exército
DGP	Departamento Geral do Pessoal
EB	Exército Brasileiro
Eceme	Escola de Comando e Estado-Maior do Exército
EME	Estado-Maior do Exército
EsAO	Escola de Aperfeiçoamento de Oficiais do Exército Brasileiro
END	Estratégia Nacional de Defesa
Esqd C Mec	Esquadrão de Cavalaria Mecanizado
ESG	Escola Superior de Guerra

FARC	Forças Armadas Revolucionárias da Colômbia
FEB	Força Expedicionária Brasileira
FGV	Fundação Getulio Vargas
FT	Força Terrestre
Funai	Fundação Nacional do Índio
GLO	Garantia da Lei e da Ordem
GSI	Gabinete de Segurança Institucional
MD	Ministério da Defesa
ONGs	Organizações não governamentais
PE	Polícia do Exército
QG	Quartel-general
RCG	Regimento de Cavalaria de Guarda
RM	Região Militar
SIPLEx	Sistema de Planejamento do Exército
Sisfron	Sistema Integrado de Monitoramento de Fronteiras
STF	Supremo Tribunal Federal
STJ	Superior Tribunal de Justiça
STM	Superior Tribunal Militar

Índice onomástico

A

Adalmir, coronel – companheiro de turma, 147
Ademir, almirante – chefe do Estado-Maior Conjunto das Forças Armadas, 176, 205
Aita, coronel – primo, 40
Al Gore, 129
Albuquerque, general – comandante do Exército, 174
Aldo Rebelo, 91, 121, 165, 177
André Luiz Ribeiro Campos Allão, general, 13
André Roberto Martin, 101
Antônio – avô materno, 22, 23
Antônio Carlos coronel – companheiro de turma, 39
Antunes, general, 136
Ariel, major, 73
Augusto Heleno Ribeiro Pereira, general, 149, 224, 227

B

Barroso Magno, general, 38
Benjamin Constant, tenente coronel, 81
Bernardinho – do vôlei, 36
Bezerril, capitão, 27
Boabaid, general, 124
Bolivar, general, 40, 124, 144
Braga Netto, general, 208, 209
Brandão, general, 16, 39, 124, 233
Breide, general, 137

C

Cardoso, general - Alberto Mendes Cardoso, 36, 73
Carl Von Clausewitz, 69
Carlos Henrique Cardim, embaixador, 49
Carlos Ivan Simonsen Leal, 21, 137
Carlos Lamarca, 160
Carulla, general de divisão, 139
Cássia Maria, 94
Celso Amorim, 157, 171
Charles de Gaulle, general, 36, 141
Chico Mendes, 128
Cid, general, 198
Cida - Maria Aparecida – esposa, 16, 24, 44, 55, 60, 61, 69, 74, 93, 100, 111, 197, 234,
Claudio Figueiredo, general, – comandante militar da Amazônia, 124, 125

Correa, sargento, 109
Costa Filho, coronel, 77
Crivelatti, tenente, 195

D
Dangui, coronel – companheiro de turma, 40, 89
De Gaulle, 36
Deng Xiaoping, 101, 102
Diego Martins Graça, capitão, 210
dr. Acary, 233
dr. Antônio Carlos, 39
Drica – Adriana – filha mais nova, 16, 40, 76, 233

E
Edith – avó materna, 22
Ednardo, general 52
Edson Leal Pujol, general, – atual comandante do Exército, 40, 219, 236
Elaine Dewar, 128
Eliseu, cabo, 109
Emílio Garrastazu Médici, 49, 58, 101
Enzo, general – comandante do Exército, 126, 140, 144, 147, 157, 173, 174, 175, 198
Ernesto Geisel, 52
Euclides da Cunha, 81

F
Fernando Collor de Melo, 173, 197
Fernando Henrique Cardoso, 120, 162, 174, 176, 198
Fernando Sérgio Galvão, general, 144

Fernando, general, 195, 197, 219, 227, 228
Ferreira, general, 124, 126
Florany Mota – prefeita de Uiramutã, 121
François Mitterand, 129
Frota, general – ministro da Guerra, 52, 53

G
Garlipp, tenente, 27
Geraldo Gomes de Matos, general, 24
Geraldo Quintão, 122
Germano Arnoldi Pedroso, general, – comandante militar da Amazônia, 115
Gilmar, coronel, 16
Gláucio, cadete, 44
Gleisi Hoffman, 171
Gleuber Vieira, general – comandante do Exército, 122, 174, 175
Gomes da Costa, coronel, 147
Goulart, coronel, 50, 52, 99, 100
Guderian, general, 141
Guilherme Theophilo, general, 158, 200

H
Hamilton Mourão, general, 124, 129, 187, 231
Hans von Seeckt, 185
Hugo – irmão, 23, 24, 25
Humberto de Alencar Castelo Branco, 50, 159, 193

I

Irapoan Cavalcanti, 16
Itamar Franco, 85, 173
Izabel – esposa general Peret, 41

J

Jaborandy, general, 125
Jack Welch, 145
Jacques Wagner, 177
Jair Bolsonaro, 16, 94, 127, 161, 186, 215
Jairo Cesar Nass, 124
Jarbas Passarinho, 40,
Jarbas, general, 125
Jiang Zemin, 101
João Augusto de Médicis, embaixador, 101
João Manoel Simch Brochado, coronel, 57
João Paulo, 21
Jorge Teixeira, coronel, 109
José Alberto Neves Tavares da Silva, coronel, 75
José Eduardo Cardozo, 171
José Genoíno, 91, 165
José Luis, coronel, 70
José Pessoa, marechal, 80, 81
José Sarney, 85, 90, 102, 173
Josef Stalin, 122
Julio Jaime Garcia Covarrubias, brigadeiro, 140, 145

L

Laélio, general, 147
Leal Ferreira, almirante – comandante da Marinha, 176, 199, 227
Leônidas Pires Gonçalves, general – ministro da Guerra, 85
Liddell Hart, capitão, 185
Lima Verde, general, 106, 107
Longhi, coronel 43
Lott, general – ministro da Guerra, 50
Lucas, capitão 73
Luis Inácio Lula da Silva, 16, 121, 135, 148, 149, 173, 174, 178, 179, 185, 187, 190, 192, 217, 218, 225
Luiz Gonzaga Schroeder Lessa, general – comandante militar da Amazônia, 115
Luiz Maklouf Carvalho, 94
Lundgren, cadete, 44

M

Machado, brigadeiro – chefe do Estado-Maior Conjunto das Forças Armadas, 171
Madureira, general, 124
Maldonado, coronel, 27
Mangabeira Unger, 135
Mano – Marcelo – filho do meio, 75
Manuel Fiel Filho, 52
Mao Tsé-Tung, 111
Marco Aurélio, general – companheiro de turma, 40, 89, 234
Marco Milost, general, 57
Mardones, general, 138
Mario Domingues, tenente coronel, 28
Mário, general, 28, 136
Marius, general de exército, 139

marquês de Pombal, 128
Mattos, general – comandante militar da Amazônia, 137
Mauro Pinto, coronel, 57, 58, 60
Mauro Wolf, general, 124
Medeiros, coronel – companheiro de turma, 24
Mejia, general – comandante do Exército da Colômbia, 53
Mendonça Furtado – capitão geral do Grão Pará e Maranhão, 128
Menna Barreto, capitão, 25
Messias, tenente, 35
Michel Temer, 16, 131, 136, 160, 173, 176, 177, 180, 192, 196, 205, 206, 207, 231, 232
Mikhail Gorbachev, 129
Milton Sils, cadete, 44
Modesto, general, 235
Montenegro, general, 194
Moraes, coronel, 88
Moratta, general, 125

N
Negraes, general, 194
Nelson Jobim, 135, 179

O
Olavo de Carvalho, 224, 225
Oliveira Freitas, general, 40
Orlando Villas-Bôas, 109
Otávio Santana do Rêgo Barros, general, 186, 187, 194, 198, 232

P
Patrícia Maretti, tenente, 235
Paulo Assis, general, 115
Paulo Cesar de Castro, general, 138
Paulo Chagas, general, 231
Paulo Humberto, general, 195, 197
Paulo Studart, general, 124
Pavanelo, coronel, 107, 112
Pavin, coronel, – companheiro de turma, 39
Pazuello, general, 158
Peixoto, general, 40
Pereira Gomes, general, 194
Peret, general – companheiro de turma, 40, 124
Piero Ludovico Gobatto, general, 87, 88
Pinto Homem, general, 124
Poty, general, 170, 194, 198
presidente Dilma Rousseff, 16, 157, 163, 165, 169, 171, 174, 176, 178, 179, 180, 181, 182, 187, 196

R
Raul Jungmann, 189, 205
Reina – esposa general Terra Amaral, 41
Reis Friede, desembargador, 72
Ricardo Salles – ministro do Meio Ambiente, 128, 226
Richard, general, 209
Roberto Abdenur, embaixador, 101
Roberto Freire, 91
Rocha Paiva, general – companheiro de turma, 40, 234
Rodrigo – irmão, 24, 25
Rodrigo Otavio, general, 65
Ronaldo Caiado, 181

Rossato, brigadeiro – comandante da Aeronáutica, 172, 176, 199
Rupert Smith, general, 174
Ruy Monarca da Silveira, general, 91, 150

S
Santa Rosa, general de exército, 139, 140
Santos Cruz, general, 224, 225
Schwarzkopf, general, 175
Sergio Etchegoyen, general, 23
Silva e Luna, general, 124, 136, 144, 205,
Sodré, general, 40, 42,
Sun Tzu, 69

T
Tancredo Neves, 85, 118
Tayreland, 161
Teixeira, coronel, 64, 109
Terra Amaral, general, 34, 41, 57, 60
Tici – Ticiana – filha mais velha, 75
Tinoco, general – ministro da Guerra, 173
Tomás, general, 42, 44, 45, 194, 198
Tomás, cadete, 44

Torres Marques, coronel, 99
Toscano, coronel – companheiro de turma, 39

U
Ulisses Guimarães, 85

V
Vaz, major, 106
Ventura, general, 150
Viana Peres, coronel, 149
Vladimir Herzog, 52

W
Walter Justos, coronel – companheiro de turma, 77
Walter Lippmann, 165
Walter Romão Filho, coronel, 77
Wellington, general, 24

Y
Yasbeck, coronel ,147

Z
Zairo, coronel, 113
Zenildo, general, 105, 173, 174

Esta obra foi produzida nas
oficinas da Imos Gráfica e Editora na
cidade do Rio de Janeiro